ISBN SÉRIE 2-84580-048-7/ ISBN VOL. 2-84580-177-7
ISBN ÉD.ORIGINALE 4-09-137643-6

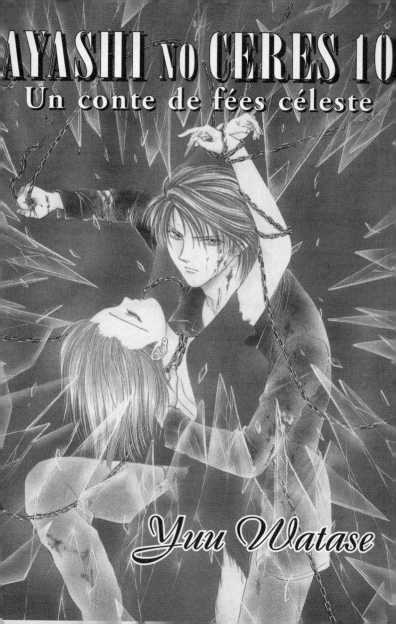

AYA MIKAGÉ

ELLE S'EST DÉCIDÉE À SE BATTRE CONTRE SON DESTIN, À RETROUVER LA ROBE DE PLUMES ET À RENVOYER CÉRÈS CHEZ ELLE.

PRÉSENTATION DES PERSONNAGES

RÉSUMÉ :

AYA MIKAGÉ, JEUNE LYCÉENNE APPAREMMENT NORMALE, EST LA DESCENDANTE D'UNE NYMPHE CÉLESTE. UN JOUR, SA PROPRE FAMILLE, LES MIKAGÉ, APPRENANT QUE AYA PORTE EN ELLE LES GÈNES DE LA NYMPHE, MONTE UN PLAN POUR L'ASSASSINER. ACCULÉE FACE À LA MORT, AYA EN PERD SA PERSONNALITÉ ET SE CHANGE EN CETTE FAMEUSE NYMPHE, CÉRÈS. CELLE-CI DÉCLARE À AKI, LE FRÈRE JUMEAU DE AYA, QU'IL EST CELUI QUI LUI A VOLÉ SA ROBE DE PLUMES !

KAGAMI MIKAGÉ QUANT À LUI, MET EN PLACE LE "PROJET C". SON PLAN CONSISTE À METTRE EN ÉVIDENCE LES GENS PORTEURS DU "GÉNOME C", CELUI DES NYMPHES ET À LES RASSEMBLER POUR S'EN SERVIR. MAIS TOYA, L'HOMME DE MAIN DES MIKAGÉ, FINIT PAR S'ÉLOIGNER DE KAGAMI ET DES MIKAGÉ POUR REVENIR AUPRÈS DE AYA.

PEU APRÈS, L'ANCÊTRE DES MIKAGÉ RENAÎT DANS LE CORPS DE AKI ET LE "PROJET C" EST REMIS EN ROUTE !!

AKI MIKAGÉ

LE FRÈRE JUMEAU DE AYA. IL EST LA RÉINCARNATION DE L'HOMME QUI FORÇA JADIS CÉRÈS À DEVENIR SON ÉPOUSE !!

YUHI AOGIRI

SUZUMI LUI A ORDONNÉ DE VEILLER SUR AYA, IL LUI A DÉCLARÉ SON AMOUR MAIS … !?

TOYA

IL A PERDU LA MÉMOIRE. IL S'EST LIBÉRÉ DE L'EMPRISE DE KAGAMI ET RESSENT DE L'AMOUR POUR AYA...

LE PROFOND DÉSESPOIR AUQUEL A D FAIRE FACE AYA A FINI PAR LUI FAIR PERDRE TOUTE COMBATIVITÉ ET ELL A DÉCIDÉ DE LAISSER DÉFINITIVEMEN SA PLACE À CÉRÈS. MAIS EN APPRI NANT QUE TOYA, EN DÉPIT DE SO AMNÉSIE, N'A PU OUBLIER LES SENT MENTS QU'IL ÉPROUVAIT POUR ELL LA JEUNE FILLE RETROUVE ENFIN L FORCE D'AFFRONTER À NOUVEAU L VIE !
ELLE SE REND DONC À TANGO AVE YUHI AFIN DE RETROUVER LA ROBE D PLUMES MAIS LE FONDATEUR LES Y PRÉCÉDÉS !! IL S'EN PREND À LA VIE D YUHI ET MENACE AYA. L'HEURE ES GRAVE ! POUR PROTÉGER SON AMI, AY EST OBLIGÉE DE SE PLIER À LA VOLON TÉ D'AKI ET QUITTE YUHI... !!

QUOIIII ?

IL PARAÎT QU'ON N'A PLUS BESOIN DE MOI !!

V-V-VOUS-VOULEZ RENTRER À TOKYO MONSIEUR YUHI ?!! MAIS VOUS VENEZ À PEINE DE VOUS INSCRIRE À L'ÉCOLE !!

GATAM

JE VAIS PRENDRE UN BAIN !!

MAIS ?! ET LA ROBE DE PLUMES ALORS !? MADEMOISELLE AYA, DITES QUELQUE CHOSE, JE VOUS EN SUPPLIE ! ...

LES BLA-BLAS DE YUU WATASE

Salut ! c'est Watase. C'est reparti pour une nouvelle année, là nous sommes en 1999, eh oui, et cela vous fait quoi alors ? Le Japon devrait, tant qu'il est encore temps, se tourner un peu plus vers l'avenir sinon nous risquons tous de nous effondrer psychologiquement, vous ne pensez pas ? Oups ! En voilà une introduction bien morose !...

Bon, avant tout, si j'ai un remerciement à faire, c'est bien à vous tous car il ne reste pratiquement plus de "calendriers"... Merci de les avoir achetés. J'ai un super PC qui aurait pu me servir mais je me suis pourrie l'existence à colorier, à découper et à coller tout à la "main" (rires). Au début de ma carrière la direction ne cessait de me dire que je n'étais franchement pas douée pour le coloriage (en fait, j'avais horreur de ça) alors je me suis dit "un jour viendra..." et j'ai fait de gros efforts pour être moins nulle. Actuellement je pense avoir passé un cap et cela ne me dégoûte plus autant grâce à "Ayashi no Cérès" sur lequel je travaille avec des couleurs que j'aime. Ah oui, la Cérès représentée aux mois de mai et juin a choqué pas mal de personnes paraît-il (rires). Mon intention était pourtant de créer quelque chose d'artistique, mais bon, finalement je reconnais que ça ressemblait plus à des photos érotiques qu'à autre chose. Mais vous auriez pu au moins reconnaître que je me m'étais donnée du mal pour les dessiner !!... Comment se fait-il que mes coups de crayons rendent mes dessins obscènes ?... Voyez-vous, autrefois, plusieurs de mes éditeurs m'ont fait remarquer que les filles que je dessinais étaient toutes "pulpeuses et sexy" (rires) et qu'elles donnaient envie qu'on leur effleure la poitrine tellement ça avait l'air moelleux, ou bien qu'elles possédaient le charme d'une femme avec des petits côtés enfantins, il y en avait même qui se mettaient à siffler (rires). Hmmmm... Je n'ai jamais apprécié les BD pour filles avec des personnages aux membres aussi courts qu'un hippopotame... Alors, au collège, je m'entraînais à dessiner des silhouettes féminines... Ben, j'voulais faire une carrière dans le manga pour garçons moi (rires). Alors bien que je sois une femme, je pourrais dire que je garde de cette époque un "œil de garçon" quand je dessine. Voilà donc pourquoi vous trouvez dans mes histoires des scènes permettant de se rincer l'œil (rires). Je m'efforce de donner un air un peu érotique quand je dessine Cérès. Pourquoi ? Rien de plus vital que le charme pour un dessin... Faut pas confondre avec un dessin obscène, non... mais ayez conscience que la nuance est très subtile !

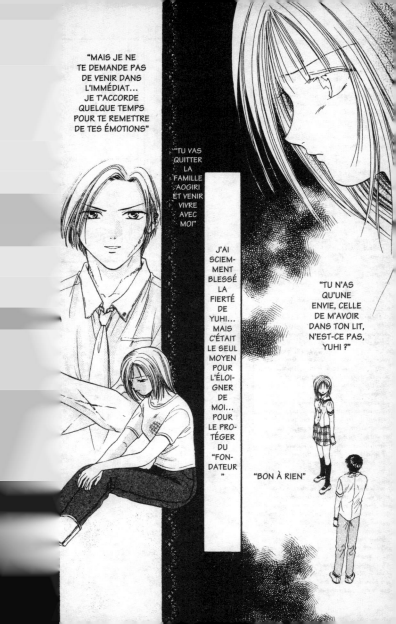

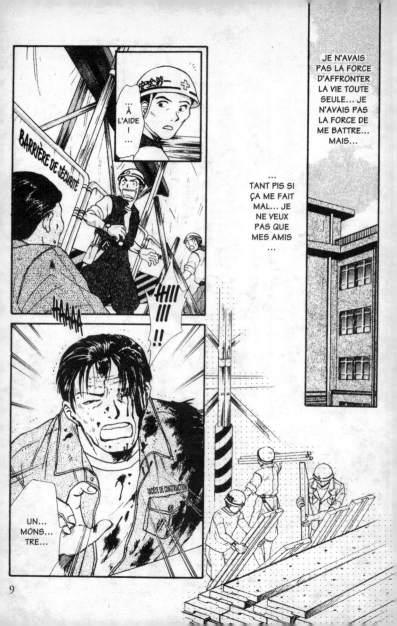

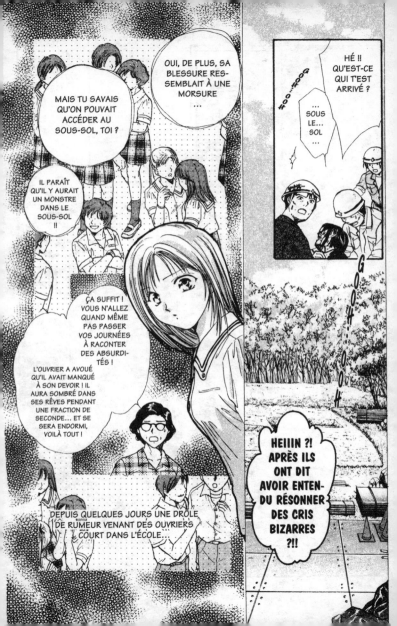

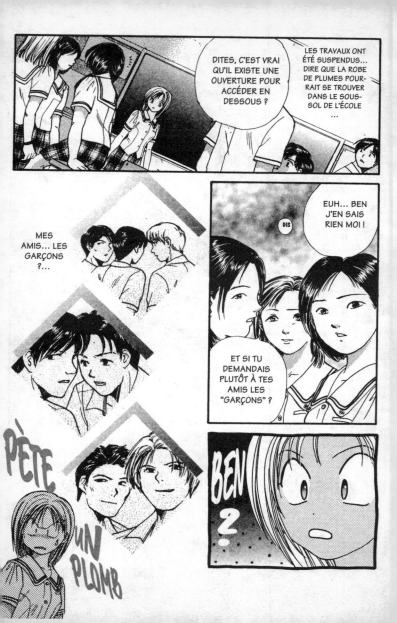

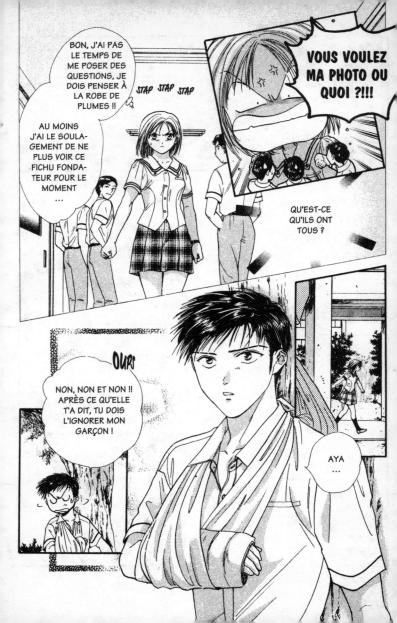

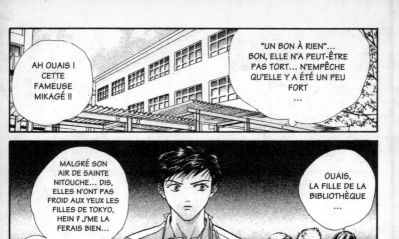

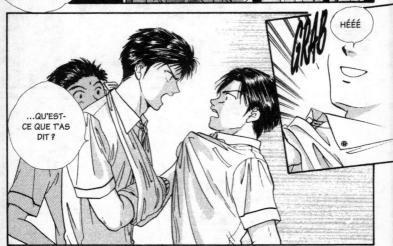

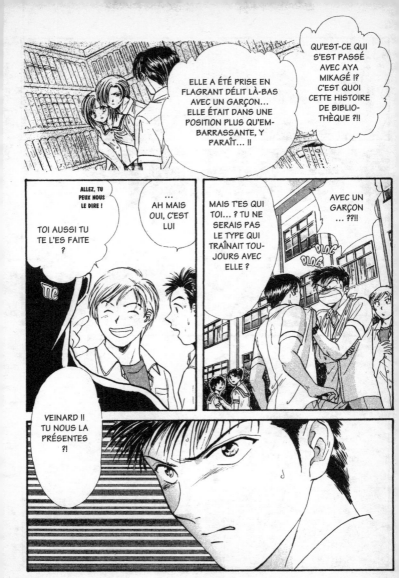

14

… CES VESTIGES ONT ÉTÉ RETROUVÉS LORS DE LA CONSTRUCTION DE L'ÉCOLE…

QU'EN PENSES-TU CÉRÈS ? VOIS-TU QUELQUE CHOSE QUI TE RAPPELLERAIT LA ROBE DE PLUMES ?

"IL M'EST DIFFICILE D'EXPLIQUER AVEC DES MOTS QUELQUE CHOSE QUE LES HUMAINS NE PEUVENT SE REPRÉSENTER"

JE M'EN DOUTAIS… BON, EH BIEN, NOUS N'AVONS PLUS QU'À NOUS RENDRE SUR LE CHANTIER… FAUT DIRE AUSSI QUE TU NE ME DONNES PAS BEAUCOUP DE RENSEIGNEMENTS SUR CETTE "ROBE"…

"…NON"

C'EST BIEN LE PROBLÈME !

DAM DAM DAM DAM DAM DAM

"…AYA, QUE COMPTES-TU FAIRE ?"

AYA N'EST PAS CE GENRE DE FILLE ?! !!

BING BANG POUM QUE

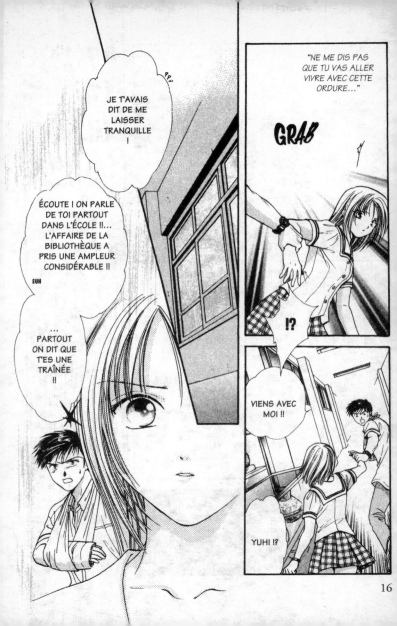

16

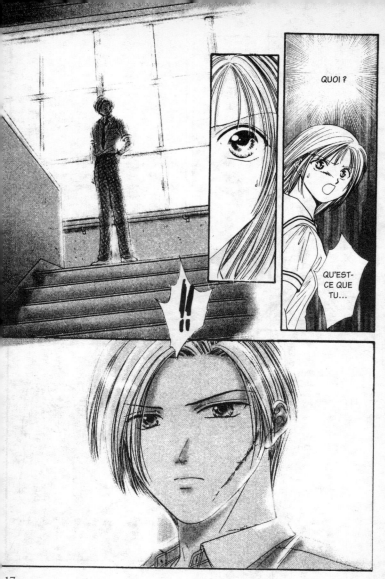

JE NE SUPPORTE PAS QUE L'ON TOURNE AUTOUR DE MOI, COMBIEN DE FOIS DOIS-JE TE LE RÉPÉTER !? FICHE LE CAMP !!!!

... JE T'AI DIT QUE TOUT IRAIT BIEN !!

J'AI CLOUÉ LE BEC À PAS MAL D'ENTRE EUX ET ILS NE LA RAMÈNERONT PLUS JE PENSE...

MAIS TU FERAIS MIEUX DE FAIRE ATTENTION, DES DÉTRAQUÉS, CE N'EST PAS CE QUI MANQUE ...

BON, SI C'EST CE QUE TU VEUX...

DÉSOLÉ DE T'AVOIR ENNUYÉE !

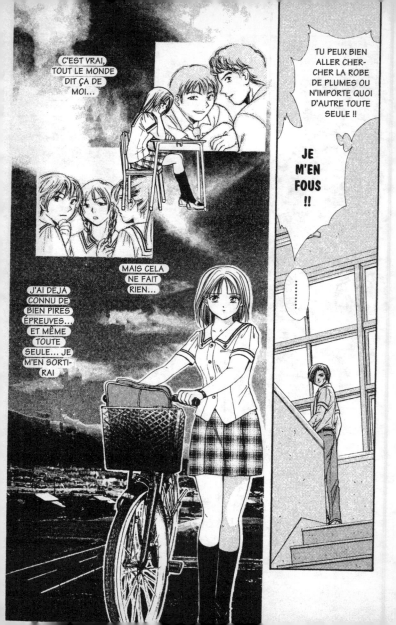

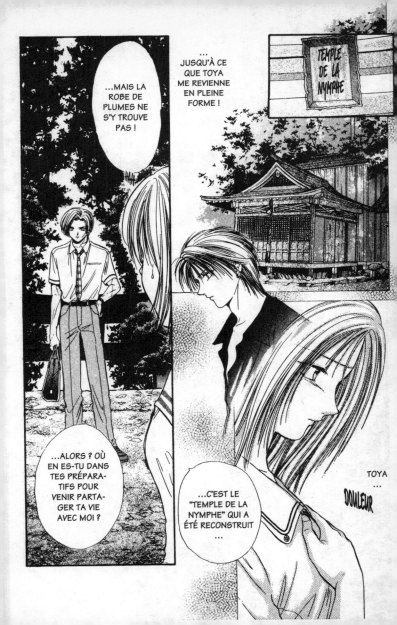

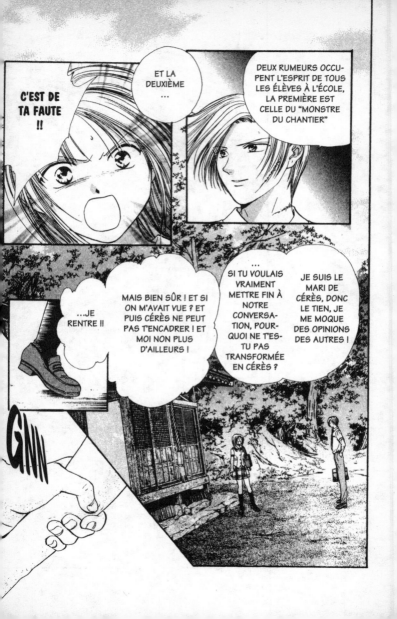

TOYA T'A QUITTÉE ET TU AS BESOIN DE MOI SI TU VEUX UN JOUR RETROUVER LA ROBE DE PLUMES !!

IL EST INUTILE DE ME RÉSISTER... À MOINS QUE TU NE SOIS DÉCIDÉE À LAISSER SORTIR CÉRÈS ?!!... PUISQUE TU ES VOUÉE À PERDRE TA PROPRE PERSONNALITÉ DE TOUTE FAÇON ...

...COMME TON BIEN-AIMÉ FRÈRE ...

PAF

... CALME-TOI !

22

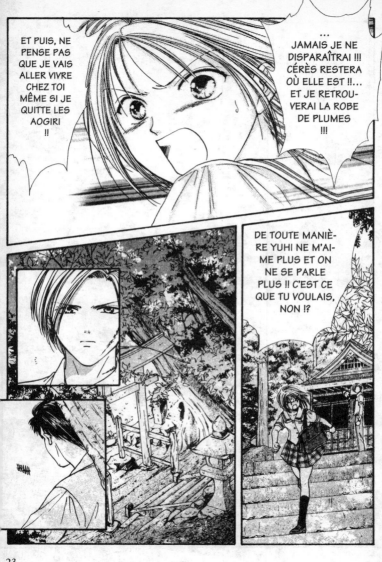

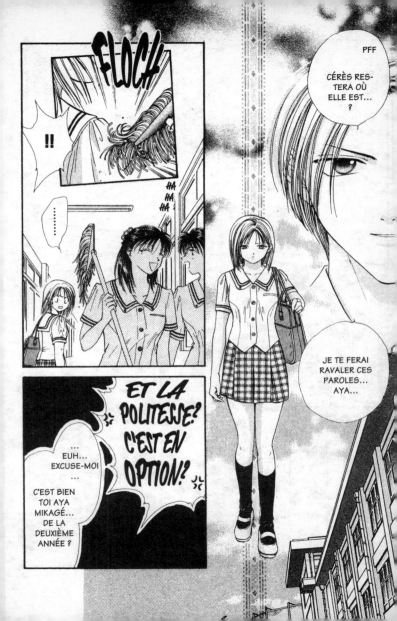

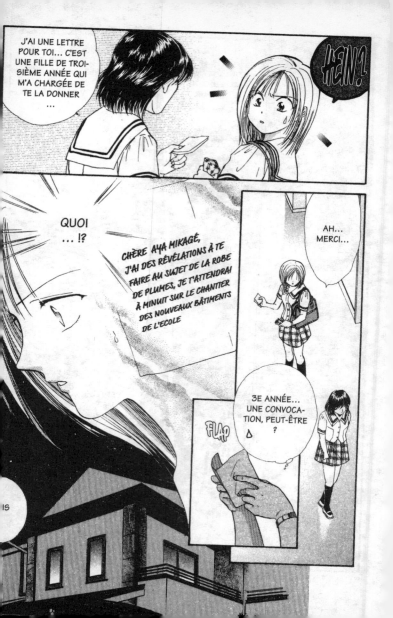

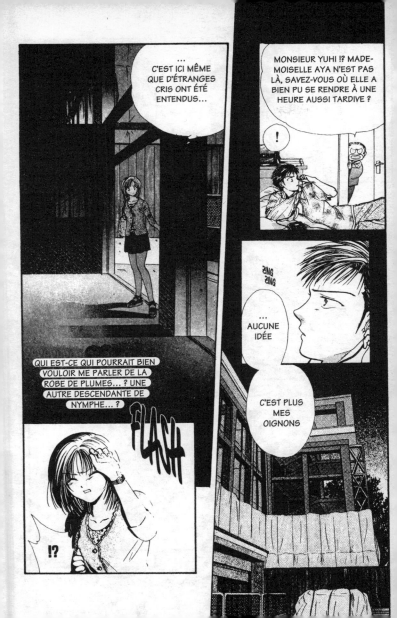

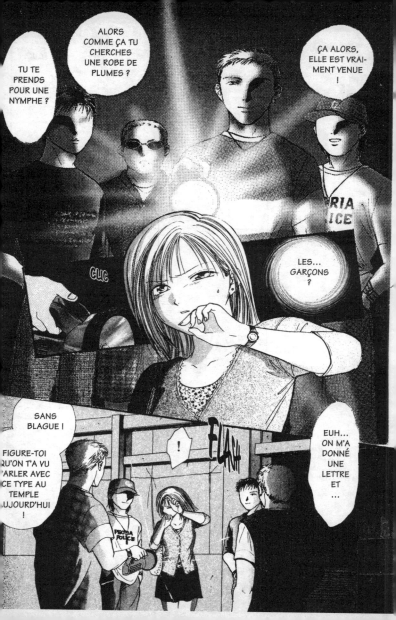

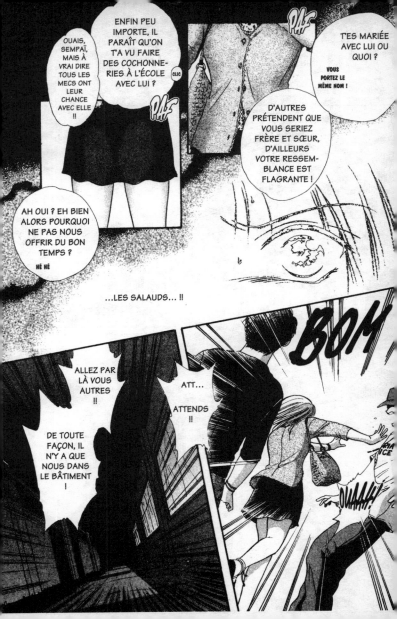

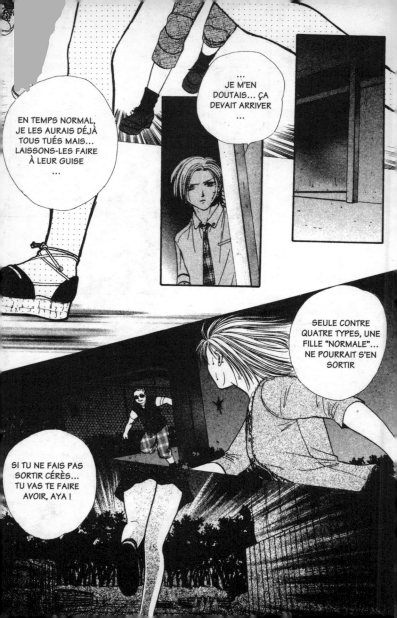

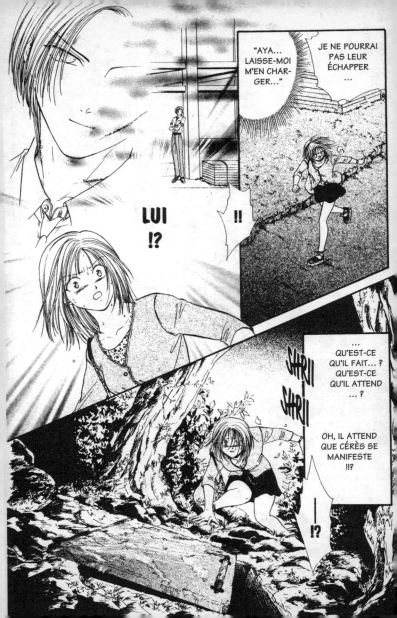

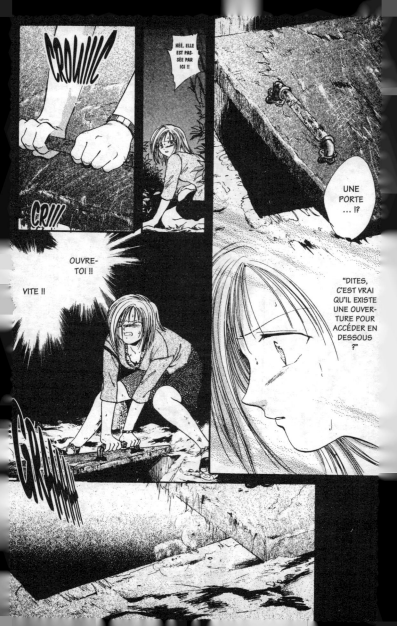

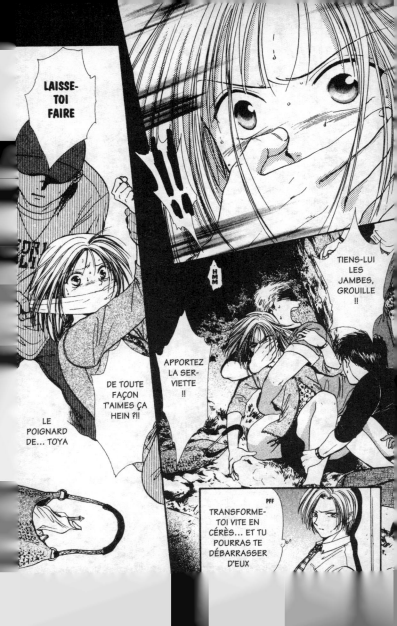

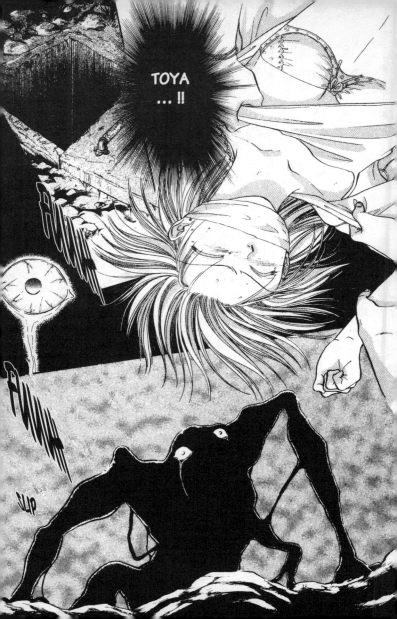

DATE DE NAISSANCE :
LE 25 JUILLET LION

GROUPE SANGUIN : A

TAILLE : 1,71 M

HOBBY : COMPOSER DE LA MUSIQUE,
LE KARATÉ, LA GUITARE
SPÉCIALITÉS : LA PLONGÉE SOUS-MARINE,
CHANGER SA VOIX

SHURO TSUKASA

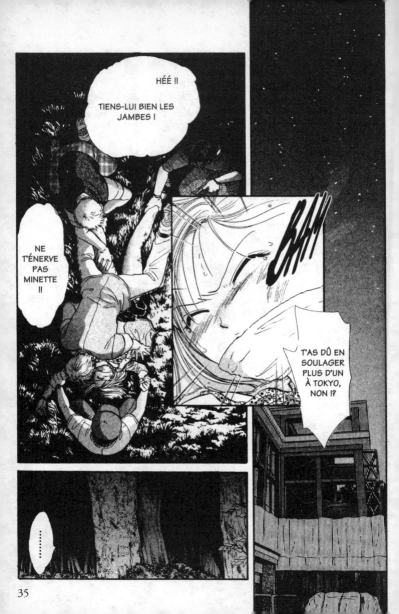

35

TOYA   NON

IL NE FAUT PLUS QU'IL Y AIT DE VICTIMES

CEPENDANT

TOYA

LE FONDATEUR ME REGARDE

AU SECOURS   NON

TO YA

"IGNORE LE FONDATEUR ET LAISSE-MOI SORTIR QUE JE RÉDUISE CES CRAPULES EN MIETTES !!"

...
JE PENSAIS QU'ELLE LAIS-SERAIT SORTIR CÉRÈS PLUS TÔT... CETTE FILLE EST TENACE
...

"AYA"

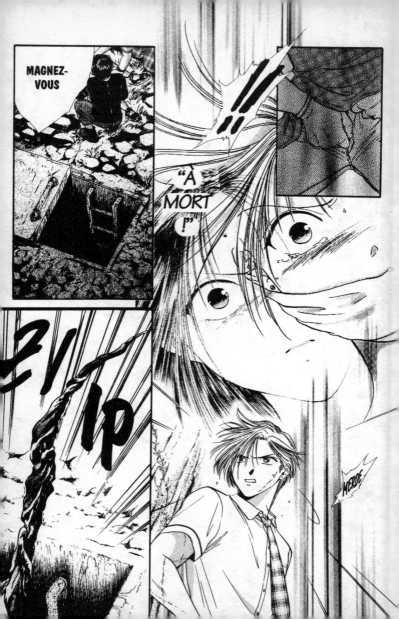

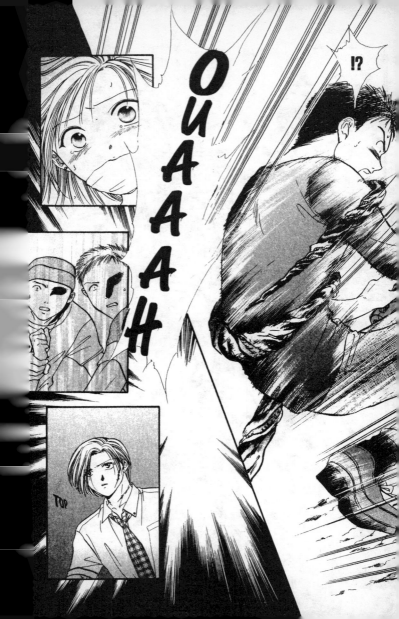

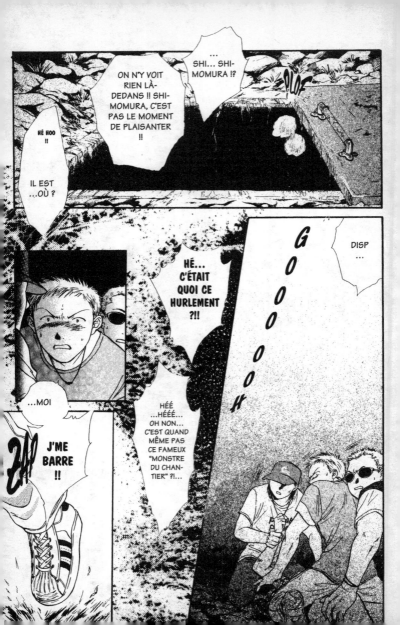

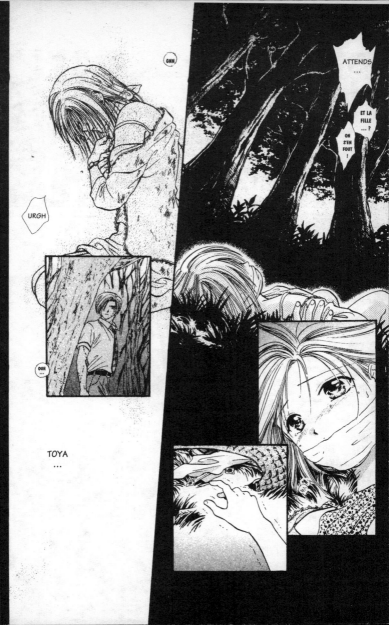

LES BLA-BLAS DE YUU WATASE

Parlons un peu d' Aki... Vous avez constaté son parcours extrêmement dégradant, c'était un garçon plutôt gentil et joyeux qui avait tout d'un élève modèle. Sa petite frimousse lui aurait valu du succès auprès des filles, mais ce n'était pas le cas. Je pense que le fait d'être devenu "le fondateur" lui a fait perdre la tête pour Aya inconsciemment (je ne veux rien insinuer). D'ailleurs, mon assistante J qui est folle de lui m'a apportée la poupée Aki qu'elle avait confectionnée elle-même en feutrine. Ouh la, faut qu'elle se calme ! C'était une grande fan de Amiboshi de "Fushigi" et cela explique tout (rires) (je me souviens lui avoir envoyé un dessin de Aki déguisé en Amiboshi par fax). A la question posée par mes amis fans d'Aki "Va-t-on savoir qui se cache derrière ce fondateur ?" je vous répondrai que oui, certainement, je dévoilerai un jour son identité mais je vous prie d'être très patients !! Je suis sûre que je vous mettrais de mauvais poil si je vous disais que c'est un vieux qui se cache derrière tout ça. En tout cas depuis qu'il est le fondateur, Aki a un succès fou. Est-ce son côté opiniâtre qui lui vaut un tel résultat... ? Quel sale type !! (rires)... Je vais finir par croire que ça plaît au public ! Quant aux faits qui se passent à "Tango"... j'ai déjà évoqué auparavant "les sales manies des hommes" et cela a suscité la colère de nombreux/euses lecteurs/trices... pauvre Aya, m'a-t-on dit. Ils sont tous du même avis "Aya ne subit que les pires traitements qu'une 'femme' peut subir dans sa vie". N'importe quelle femme devrait pester en lisant la partie sur Tango. Eh bien, figurez-vous que moi aussi, tout en dessinant, j'ai senti que je fronçais les sourcils (rires) et que les larmes commençaient à monter en m'disant "Oh, non ! Quelle horreur !". En fait, je souhaitais accentuer la répugnance de cet acte. Voici quelques impressions : "Coucher avec quelqu'un sans le moindre sentiment est un crime. Le fondateur ne désire que le corps de Cérès, n'est-ce pas ? Mais n'étant pas marié à elle, il ne la mérite pas comme épouse. Jamais je ne pardonnerais l'attitude du fondateur envers une femme qu'il considère comme un objet ou encore "Comment ose-t-il traiter Aya ! On ne peut s'emparer de l'amour par la force !". En plus, mon assistante avait franchement une dent contre les garçons de l'école "il n'y a que des abrutis parmi les élèves !" (rires) m'a-t-elle confié.

41

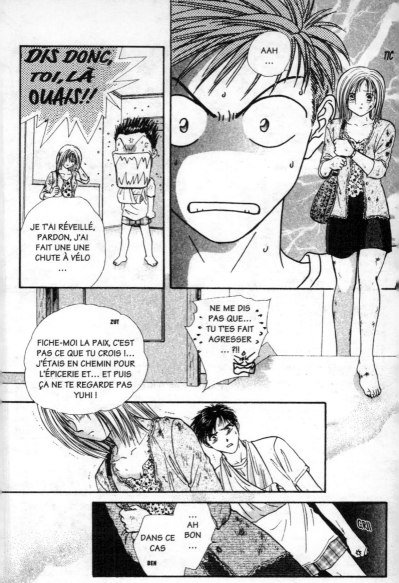

42

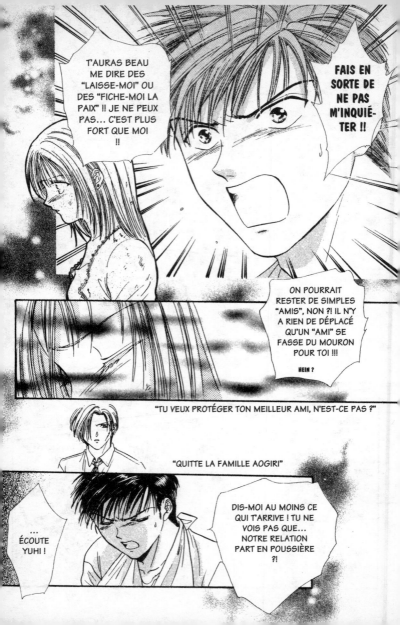

... JE VAIS BIENTÔT

QUITTER LA FAMILLE AOGIRI !!

SHURO ET CHIDORI NE SONT-ILS PAS EN SÉCURI-TÉ ? ILS POSSÈDENT EN EUX UNE FORCE REDOU-TABLE QUI FAIT RECULER KAGAMI... JE ME SUIS DIT QUE JE POURRAIS EN FAIRE AUTANT...

CRASH

BONG

VOUS ALLEZ NOUS QUIT-TER ? COM-MENT ÇA MLLE AYA !?

CLAC

VOUS-VOUS-VOUS BLAGUEZ, J'ESPÈRE !?

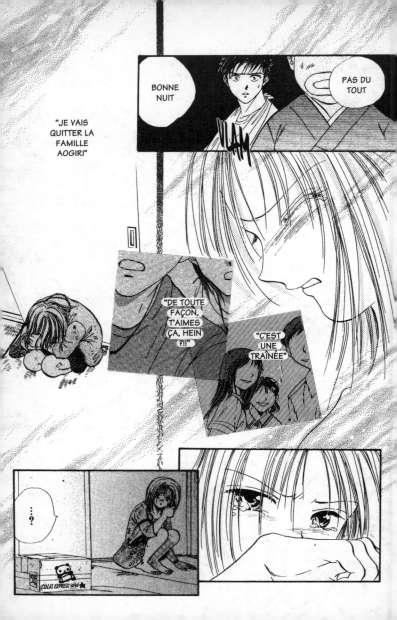

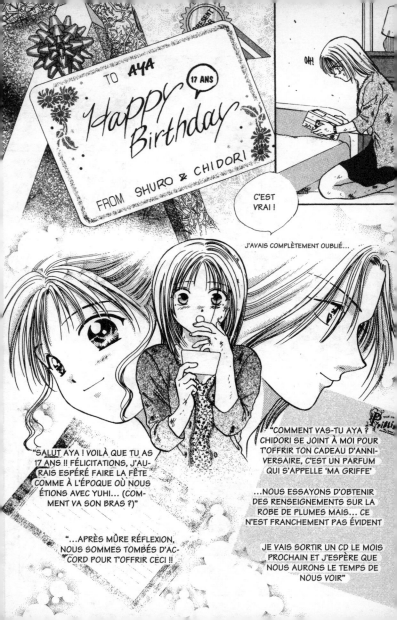

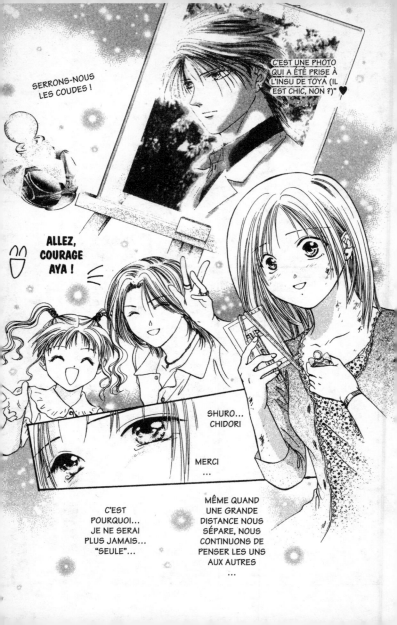

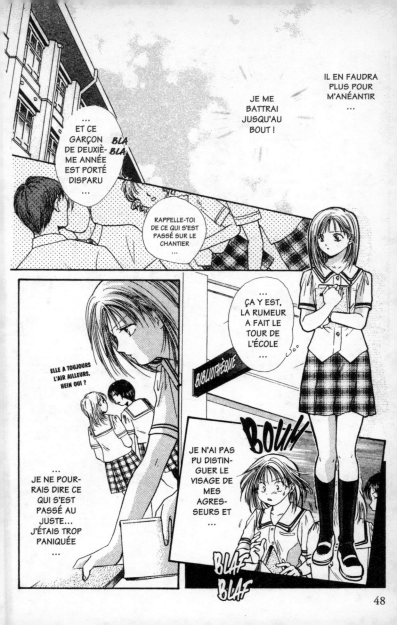

48

ET S'IL Y AVAIT VRAIMENT UN MONSTRE AU SOUS-SOL ?!...

IL ME SEMBLE AVOIR ENTENDU UN DRÔLE DE HURLEMENT...

PSST PSST !

...AH OUI ! CETTE PORTE !

...EH BIEN... IL EST SORTI...

L'HISTOIRE DE CETTE ÉCOLE ? VOUS CHERCHEZ UN LIVRE SUR LA GÉOGRAPHIE D'AUTREFOIS ?

TU COMPTES PEUT-ÊTRE TE TAPER UN AUTRE GARÇON ?!

ÇA T'AVANCERAIT À QUOI DE LE SAVOIR ?

QUI EST-CE QUI L'A EMPRUNTÉ ? IL ME LE FAUT ABSOLUMENT...

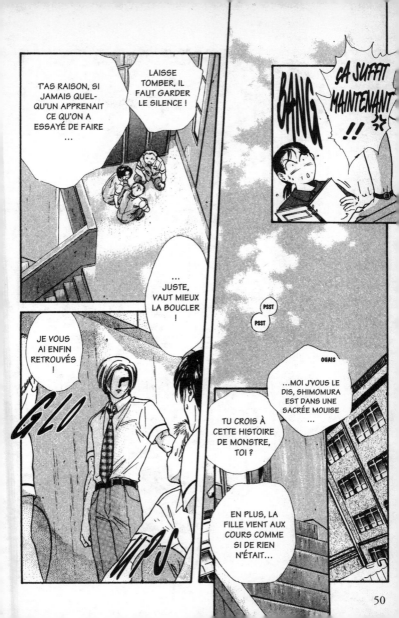

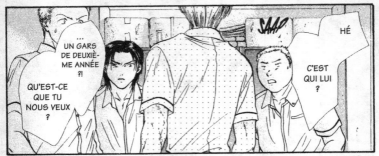

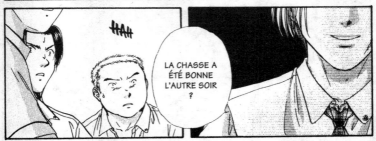

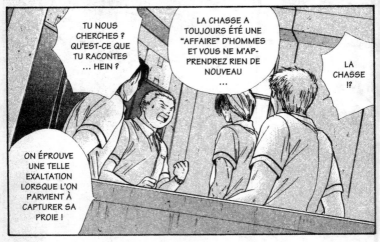

51

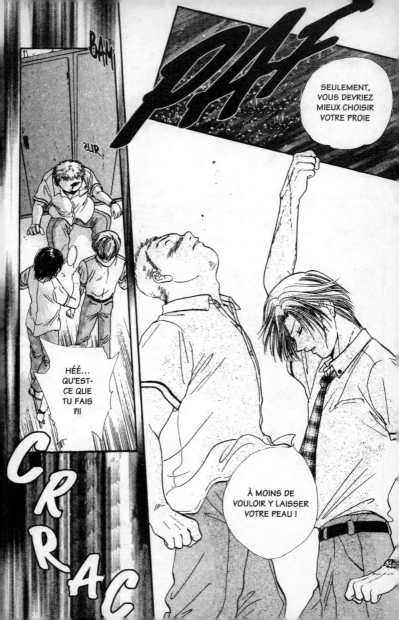

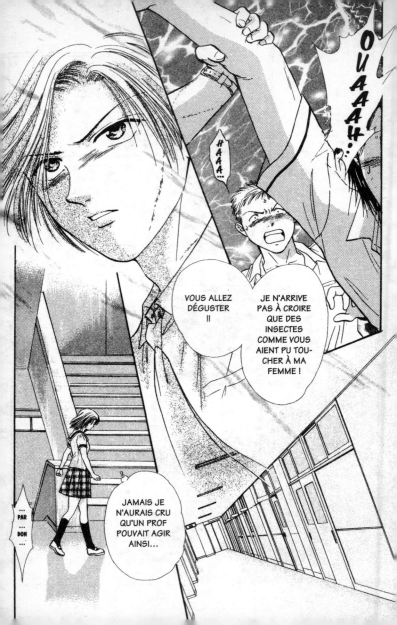

PAR...
DON
...!!

!?

JTAP

DOM

QU'EST-CE QUE...
TU FABRIQUES
ENCORE ?!!

TU ES
AVEUGLE... ? JE
DONNE UNE
PETITE CORREC-
TION À CES VAU-
RIENS QUI ONT
VOULU TE
SOUILLER !

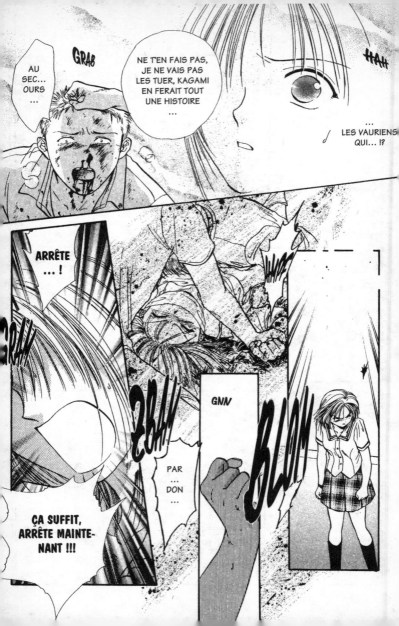

...DE TOUTE FAÇON, ILS NE SE PLAIN-DRONT PAS ET N'ESSAIE-RONT MÊME PAS DE SE VENGER... CE NE SONT QUE DES LÂCHES TOUT JUSTE BONS À PRO-FITER D'UNE FILLE...

...TU AS RAISON

... LAISSE-LES... ILS N'EN VALENT PAS LA PEINE...

TU AGIS EXACTE-MENT COMME EUX... TU N'ES QU'UNE POURRITURE QUI EST FIÈRE DE POU-VOIR ABUSER DES FILLES EN USANT DE SA FORCE !!

TU PEUX PARLER TOI, TU N'AS MÊME PAS BOUGÉ DE TA PLANQUE... !! T'ES À METTRE DANS LE MÊME SAC !!

56

CÉRÈS ET TOI, VOUS NE FAITES VRAIMENT QU'UNE, ELLE N'AVAIT QUE CE MOT À LA BOUCHE...

L'AMOUR ! TU PARLES D'AMOUR... ? AH OUI, C'EST UN MOT QUE LES FILLES ADORENT !

HA HA HA

VOUS ÊTES TOUS DES MOINS QUE RIEN !! DES MONSTRES QUI N'ONT QUE FAIRE DE L'AMOUR !!

SI TU DÉSIRES TANT "CÉRÈS" MONTRE AU MOINS QUE TU AS DES SENTIMENTS POUR ELLE...

...L'AMOUR ?

"OÙ EST DONC L'AMOUR ?"

... LA BANDE DE KAGAMI ELLE AU MOINS NE S'EMBARRASSE PAS D'"AMOUR", TOUT CE QUI COMPTE POUR ELLE C'EST DE CAPTURER LE MAXIMUM DE NYMPHES POUR SON PROJET C !!

PFF

NOUS N'AGISSONS QUE POUR "PRÉSERVER L'ESPÈCE", CE DÉSIR EST INSTINCTIF... L'HOMME EN PARTICULIER... NE SE PRÉOCCUPERA PAS DE L'"AMOUR" ...

"LES NYMPHES NE SONT QUE DES CRÉATURES INTERMÉDIAIRES"

D'AILLEURS, COMMENT VEUX-TU QUE LE CONCEPT DE L'"AMOUR" SOIT ESTIMABLE ? PAR DES MOTS ? DES OBJETS ? COMMENT RECONNAIS-TU L'"AMOUR" DANS TOUT ÇA ?

JE ME FICHE DE TA THÉORIE ! RESPECTES AU MOINS LES SENTIMENTS DES AUTRES ... !!

HOO !

... BON, ÇA SUFFIT... DIS-MOI PLUTÔT OÙ TU EN ES AVEC LA ROBE DE PLUMES ?

J'AI DEMANDÉ QU'ON SE RENSEIGNE AU SUJET DE LA LÉGENDE DE LA ROBE DE PLUMES À TANGO ET J'AI EMPRUNTÉ DES DOCUMENTS CONCERNANT CETTE ÉCOLE ...

"ELLES SONT NÉCESSAIRES À LA PRODUCTION D'ÊTRES SUPRÊMES"

58

... LE VÉRITABLE TEMPLE D'ORIGINE AVAIT ÉTÉ ÉRIGÉ À CET ENDROIT MÊME EFFECTIVEMENT... MAIS APPAREMMENT, EN SOUS-SOL ...

SI L'ON SE FIE À CETTE DESCRIPTION L'ENTRÉE DU TEMPLE SE TROUVAIT D'AILLEURS PILE LÀ OÙ TU T'ES FAIT AGRESSER

... VEUX-TU QUE JE T'Y ACCOMPAGNE ? JE NE VOUDRAIS PAS QU'IL T'ARRIVE QUELQUE CHOSE...

LA ROBE DE PLUMES S'Y TROUVE PEUT-ÊTRE... MAIS AVEC CES MYSTÉRIEUX ÉVÉNEMENTS ET CETTE VOIX ÉTRANGE QUI HANTE LES LIEUX...

CRAC CRAC

POURQUOI TU DIS ÇA !?

NE TE MÉPRENDS PAS... JE VEUX METTRE FIN À CETTE "CHASSE AU TRÉSOR" LE PLUS VITE POSSIBLE PARCE QU'ENSUITE TU QUITTERAS PLUS FACILEMENT LES AOGIRI, C'EST TOUT !

... Y VAS-TU OU PRÉFÈRES-TU RENONCER ?

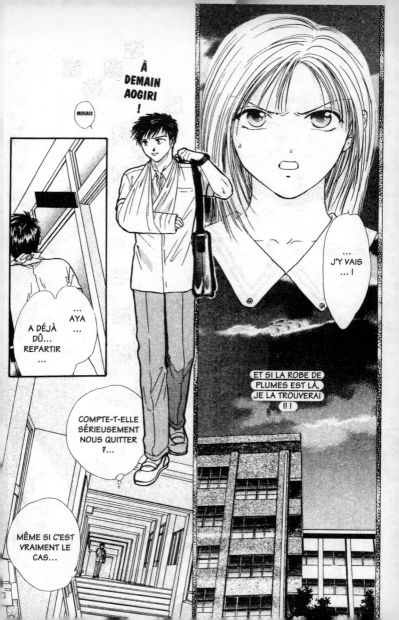

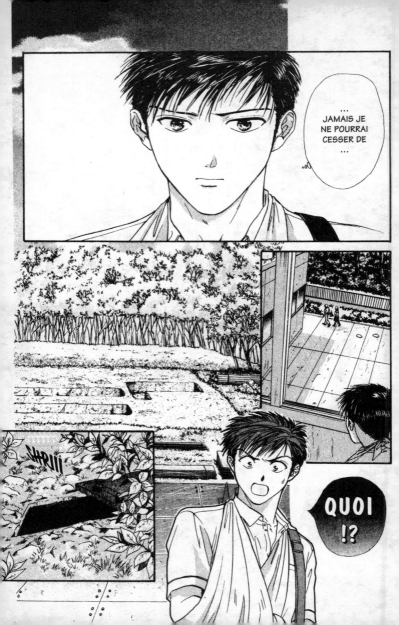

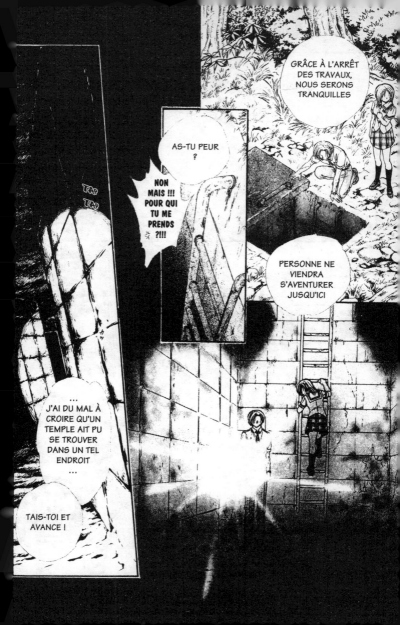

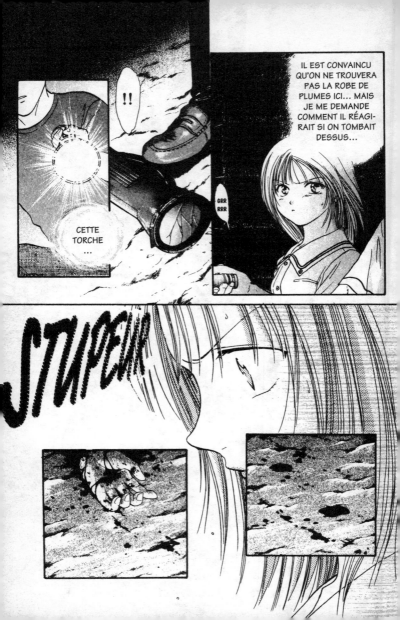

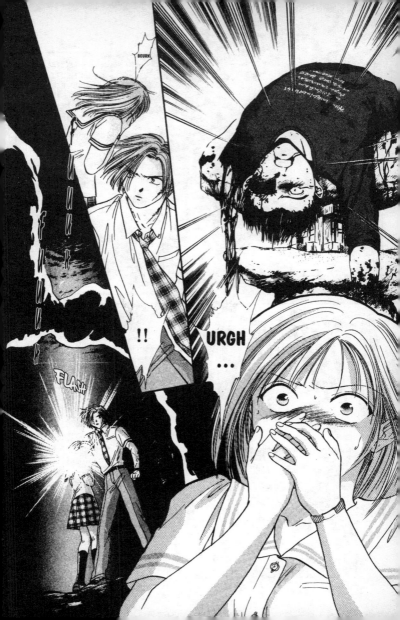

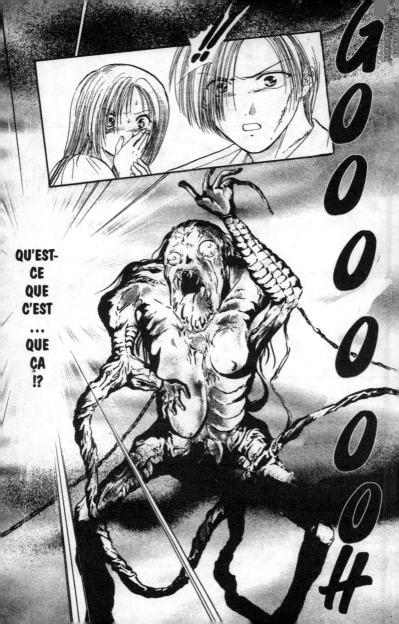

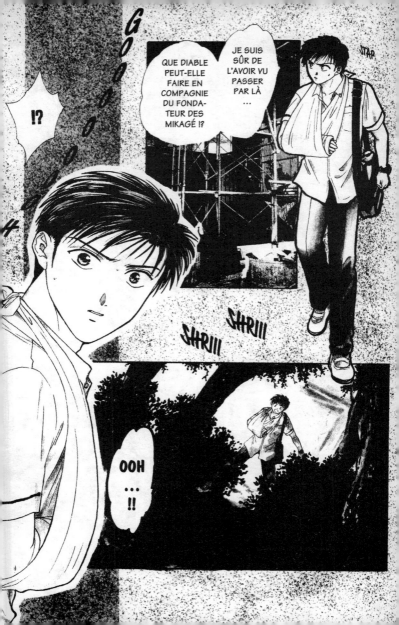

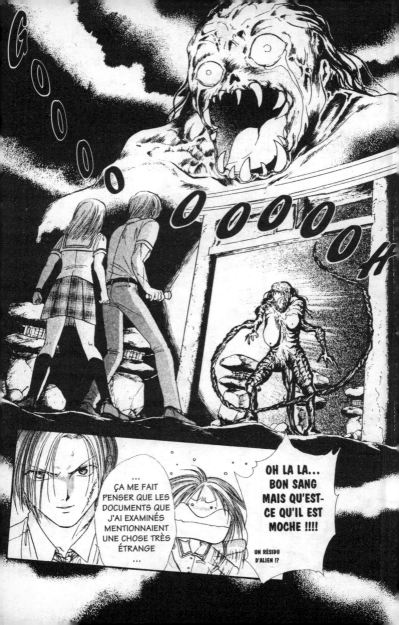

ILS DISAIENT QUE CE TEMPLE SOUTERRAIN AVAIT ÉTÉ CONSTRUIT IL Y A 700 ANS AFIN D'Y ENFERMER LA FILLE D'UN MOINE QUI AURAIT ÉVEILLÉ LA COLÈRE D'UNE NYMPHE DÉFUNTE

TIENS-MOI ÇA !

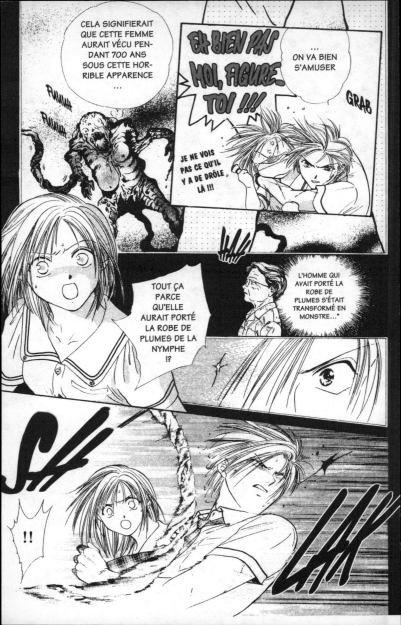

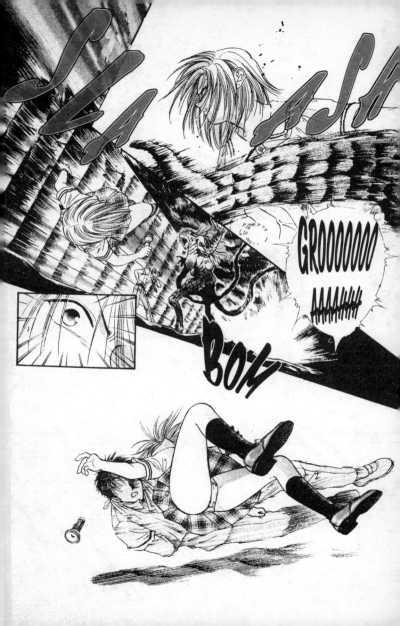

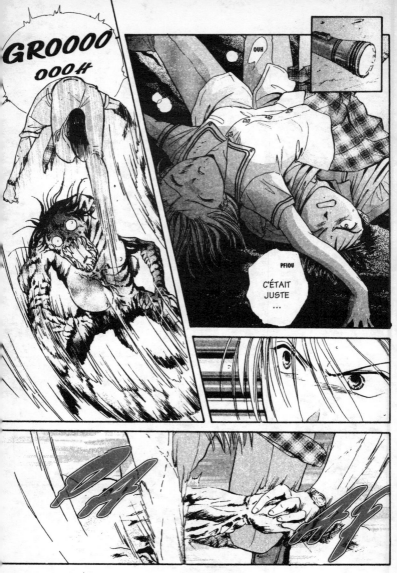

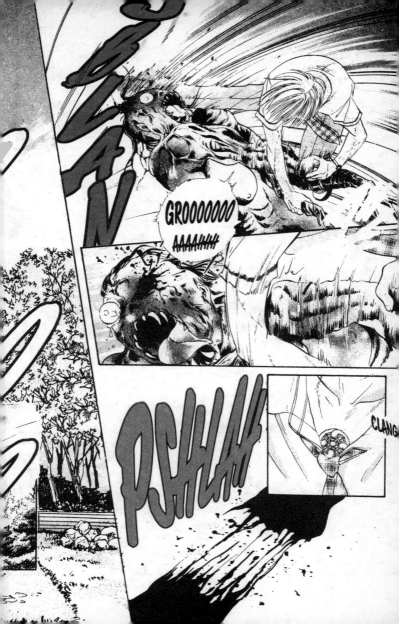

LES BLA-BLAS DE YUU WATASE

Ouais... mais pour être très franche, les hommes ont tous "l'instinct du viol". Ce qui pousse les filles à dire en cas de fin du monde "je ne sortirai plus, quoi qu'il arrive". Quand on pose la question aux hommes de ce qu'ils en pensent, en supposant bien entendu la fin du monde, ils répondent tous ainsi : "Je ne vais pas me priver, je vais y aller à gogo"... C'est dégoûtant d'entendre ça ! Il y a quand même des exceptions mais si cela nous révulse il faut se dire que c'est "l'instinct de survie" chez l'être vivant ! Tout le monde veut assurer sa descendance... Prions tous pour la paix dans le monde (rires coincés). Au fait, un dessinateur de BD qui est venu nous donner un coup de main dernièrement nous a fait part de ses opinions masculines. Elles sont loin d'être négligeables ! "Un garçon d'une dizaine d'années est incapable de faire la différence entre 'aimer' et 'tirer un coup'". Je vois... Je comprends maintenant lorsque j'entends dire "il est devenu soudainement glacial une fois nos affaires conclues", c'est triste. On n'y peut rien, c'est comme ça. N'empêche que s'ils ne sont même pas capables de faire la différence, je plains les filles qui se laissent faire en se disant : "c'est pour lui que je le fais" ou bien celles qui ont peur de se retrouver seules, cela me met hors de moi, ça voudrait dire qu'il y aurait beaucoup de filles au cœur blessé !... Les filles doivent être beaucoup plus fermes devant une telle résolution.

Un écrivain que je respecte énormément a écrit : "Une femme a le droit de se protéger et si les hommes ne peuvent pas le comprendre alors ils ne méritent pas son attention" "Une belle histoire d'amour naît entre deux êtres honnêtes, mâtures et "affranchis"... Il n'y a pas plus pitoyable que d'être sensible aux flatteries. Cela n'est ni de l'affection ni de la sincérité ni de l'amour... L'amour avec un grand A ne doit pas être un fardeau. Un être sans valeur ne mérite qu'un amour sans valeur." En fait, elle veut nous dire qu'il est important d'être quelqu'un de fondé "Tout être qui n'aura ni évolué ni développé ses capacités ne sera jamais heureux en amour... Son esprit est très étroit au moment de l'adolescence et il n'a pas encore trouvé sa voie, c'est alors qu'il considère l'amour comme un idéal mais il semble oublier qu'il n'y a pas que ça dans une vie". Ces merveilleux "liens du cœur" ne peuvent exister que si l'on entretient sa personne ainsi que l'amour et l'amitié.

À suivre...

73

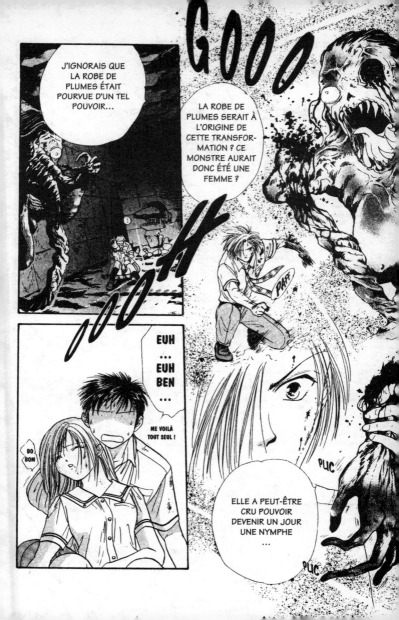

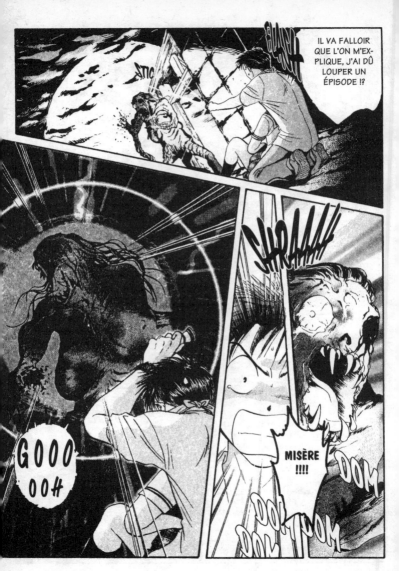

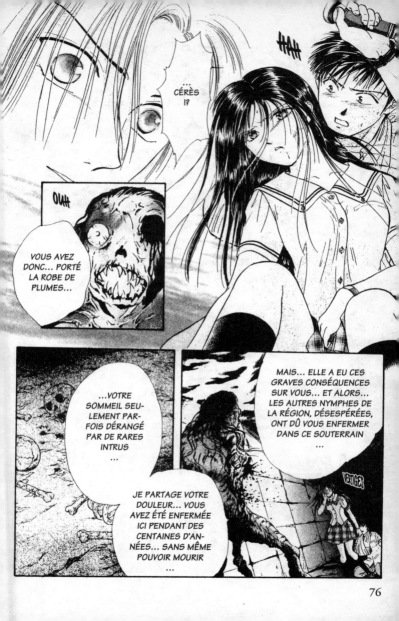

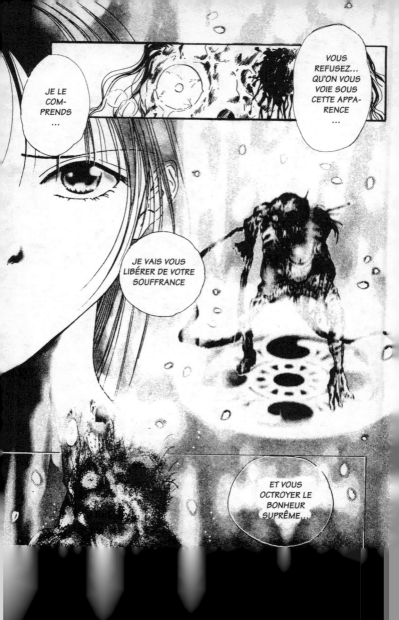

CEPENDANT, TU AS ENCORE ÉCHOUÉ DANS TES RECHERCHES...

... BRAVO !

JE VAIS T'APPRENDRE QUELQUE CHOSE... EN DÉPIT DES SERVICES QUE LES NYMPHES DE TANGO ONT RENDU AUX HUMAINS GRÂCE À LEURS POUVOIRS, ELLES ONT ÉTÉ REJETÉES... L'AVIDITÉ ET LA TRAHISON DES HUMAINS LES ONT PLONGÉES DANS LE DÉSESPOIR

CAUSE TOUJOURS...

LAISSE DONC TOMBER... ET RENTRE AVEC MOI !

SHLAAH

OUH !!

IL EN EST DE MÊME POUR TOI !! TU M'AS TRAHIE... JUSQU'AU BOUT... !!!

CÉRÈS !?

VOUS ÊTES SAIN ET SAUF MAÎTRE ?

AH, C'EST TOI ?!... JE T'AVAIS POURTANT DIT DE NE PAS FRANCHIR LE SEUIL DE L'ÉCOLE !

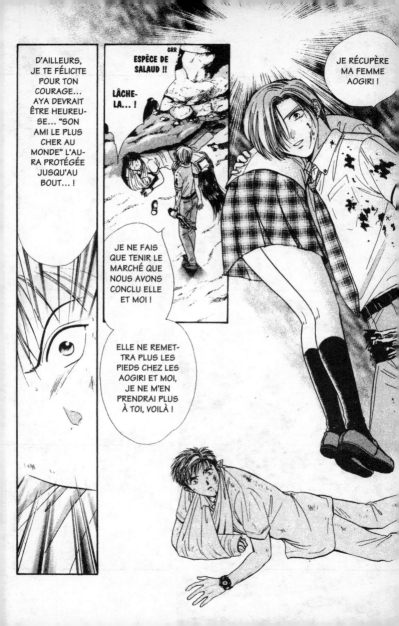

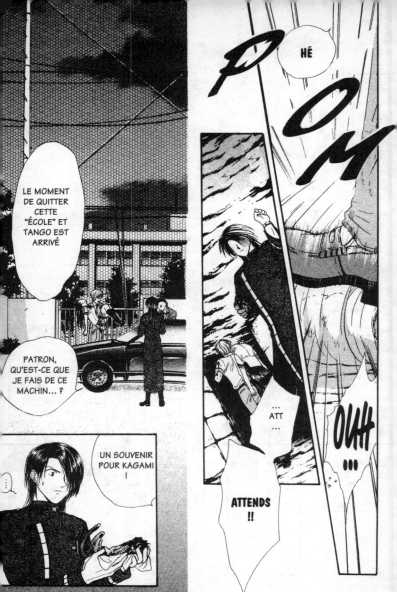

AAH

AAH

ATTENDEZ
...

IL NE DEVRAIT
PAS TARDER À
RENTRER D'AL-
LEMAGNE

DONNE-LE AU
LABO... C'EST LE
BRAS D'UN HUMAIN
QUI AURAIT FAIT
CORPS AVEC LA
ROBE DE PLUMES
...

"BON À
RIEN"

AAH

AAH

AAH

AAH

JE VAIS
QUITTER LA
FAMILLE
AOGIRI"

AAH

"CELA NE TE
REGARDE
PAS YUHI"

AAH

82

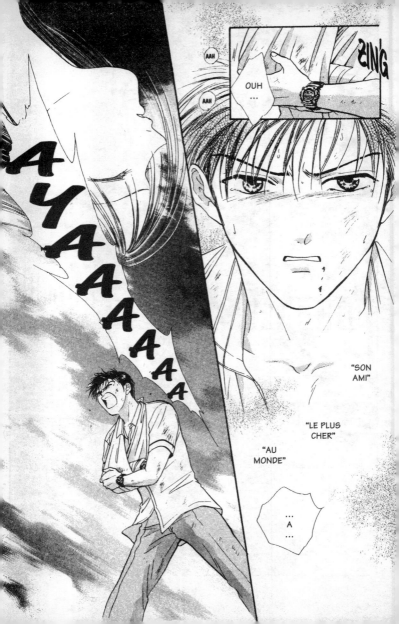

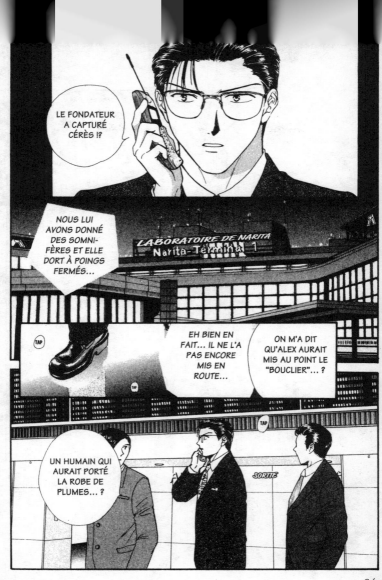

84

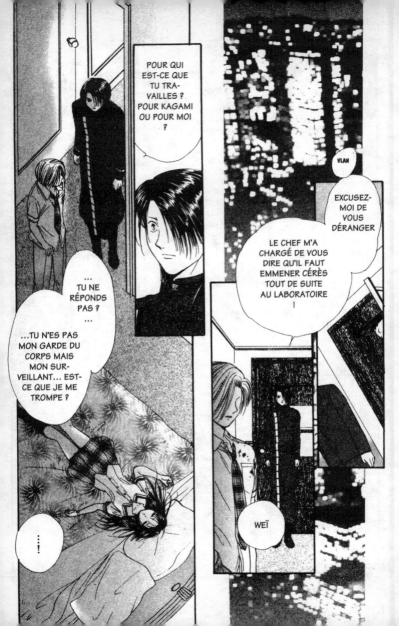

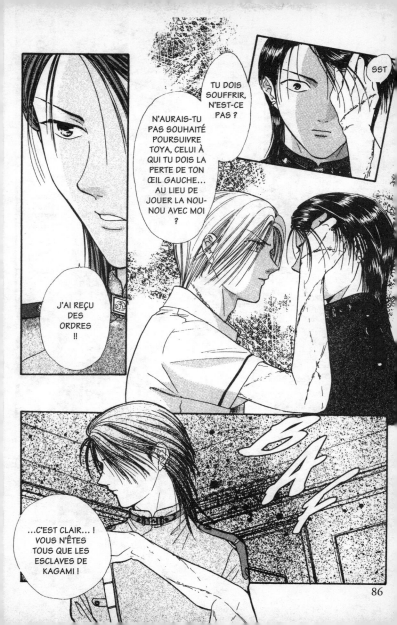

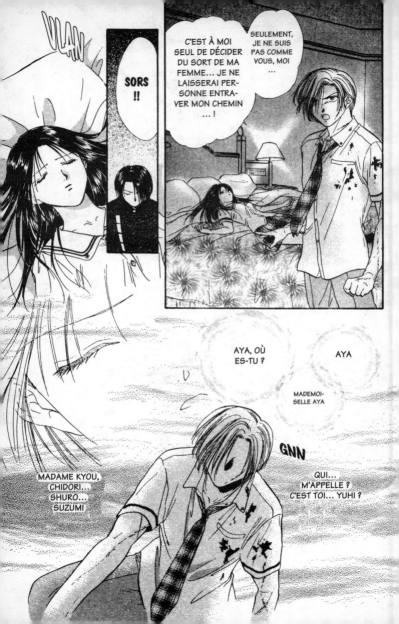

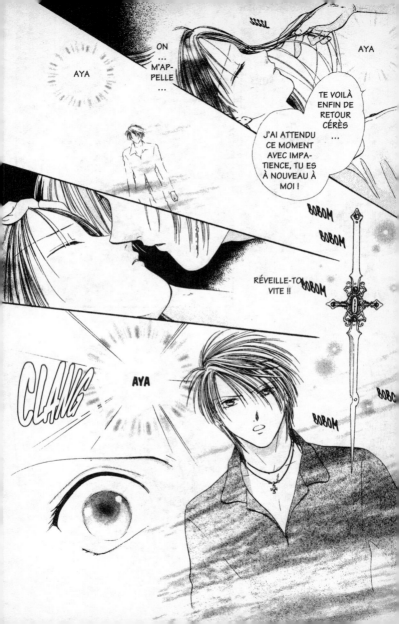

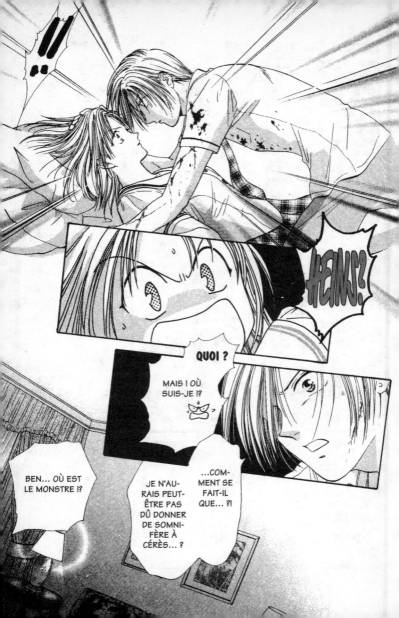

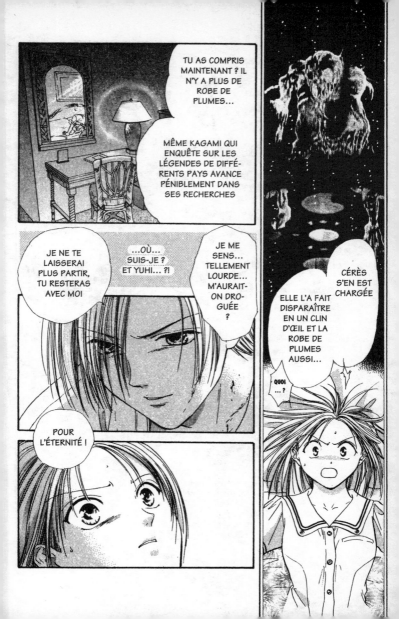

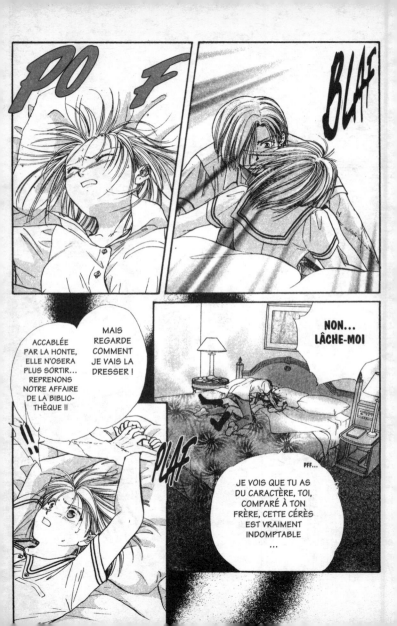

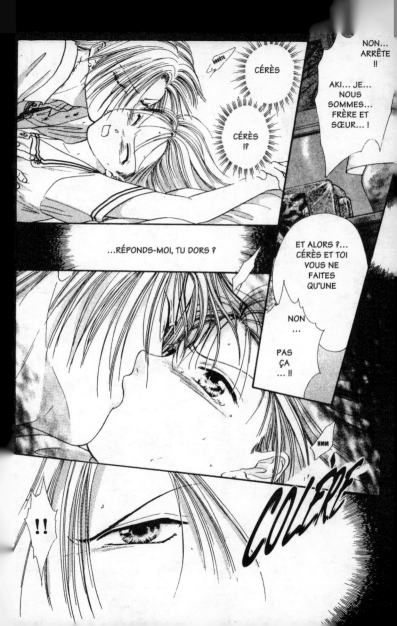

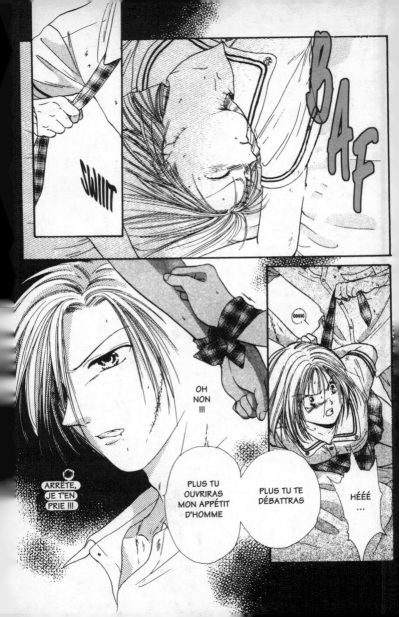

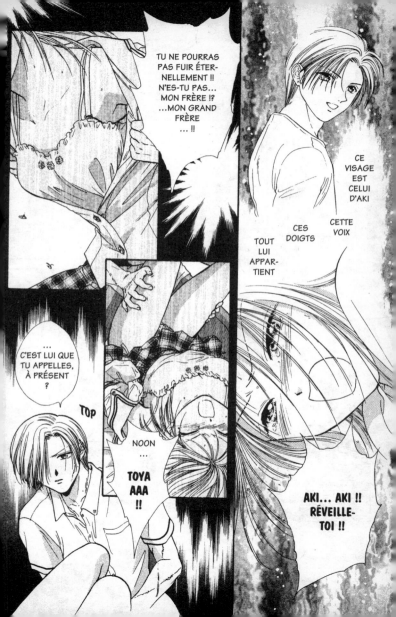

D'APRÈS LES INFORMATIONS QU'ON M'A FAIT PARVENIR, IL SERAIT TOMBÉ D'UNE FALAISE IL Y A UNE SEMAINE !

IL N'EST PAS PRÊT DE REVENIR, TU CROIS PEUT-ÊTRE QUE JE L'AI LAISSÉ PARTIR ?

...IL MENT...

BOBOM
BOBOM
BOBOM

BOBOM

BOBOM

LE POIGNARD QUE TOYA M'A LAISSÉ ...

ET JE VAIS TE FAIRE COMPRENDRE QUE DÉSORMAIS TU M'APPARTIENS ENTIÈREMENT !!

TOUJOURS EST-IL QUE TU N'AS NULLE PART OÙ ALLER

95

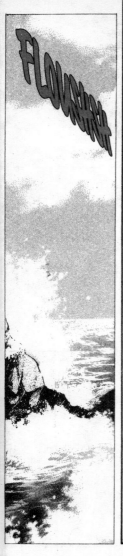

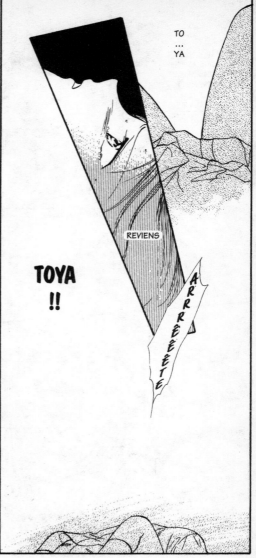

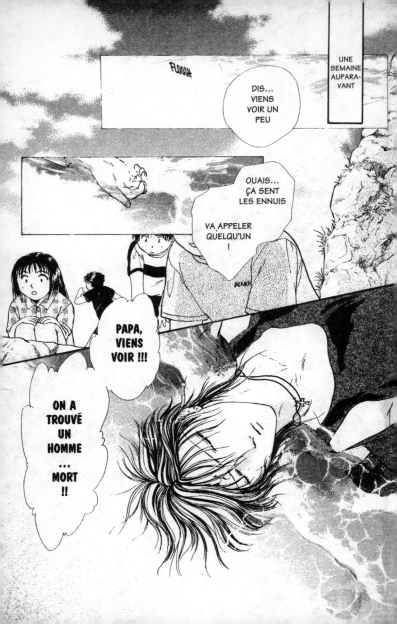

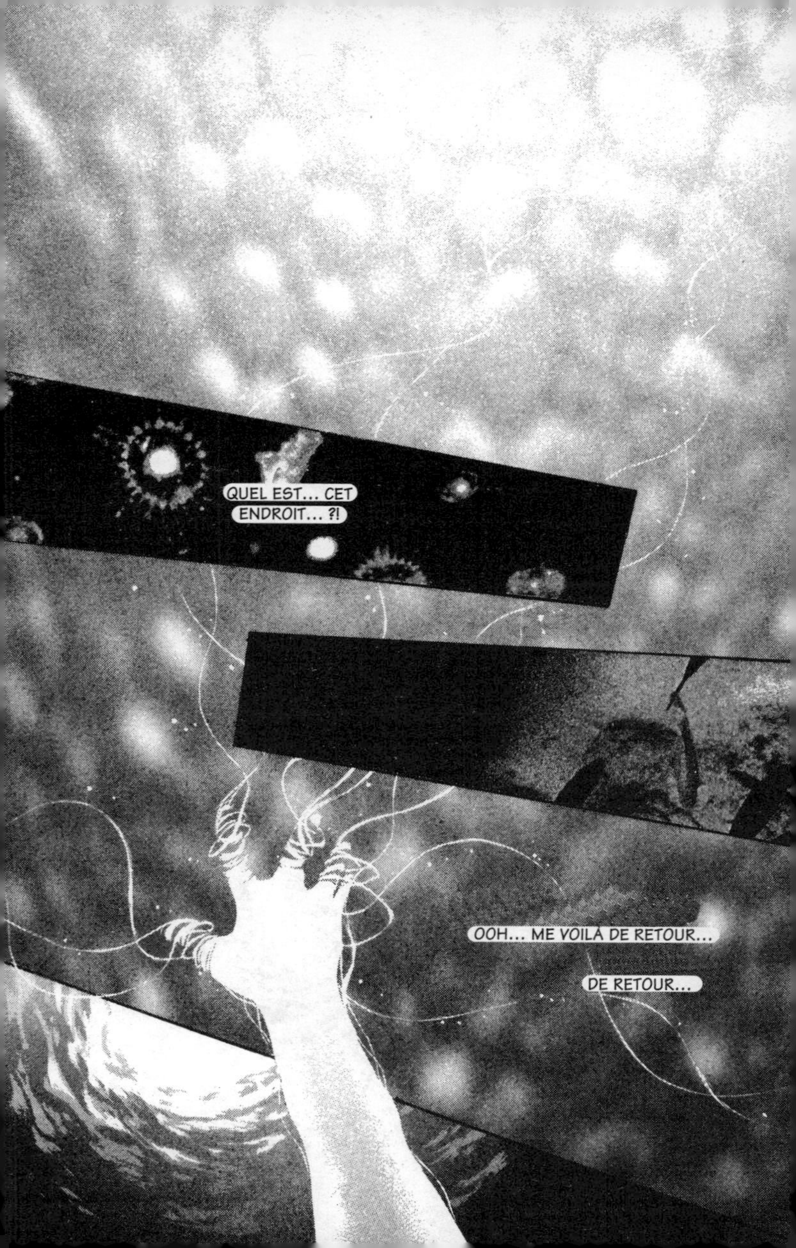
QUEL EST... CET ENDROIT... ?!
OOH... ME VOILÀ DE RETOUR...
DE RETOUR...

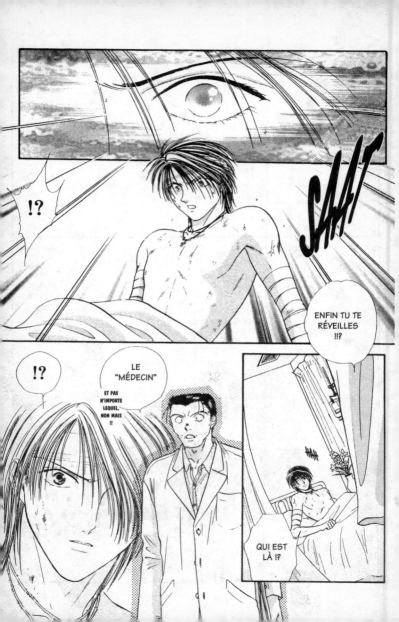

TU NE TE SOUVIENS DONC DE RIEN ? ON T'A REPÊCHÉ, AVANT-HIER, SUR UNE PLAGE DES ENVIRONS...

SI TU CHERCHAIS À METTRE FIN À TES JOURS, TU AURAIS MIEUX FAIT D'ATTENDRE L'HIVER POUR TE JETER DANS LA MER, L'EAU EST GLACIALE...

ENFIN BREF, DONNE-MOI TON ADRESSE QUE JE PRÉVIENNE TES PARENTS...

JE N'EN AI PAS ...

HEIN ?

JE SUIS DANS... UN HÔPI... TAL ?

IL EST PETIT, JE L'ADMETS...

DES PERSONNES T'ONT TRANSPORTÉ ICI, CHEZ MOI ...

LES BLA-BLAS DE YUU WATASE

Ces paroles sont vraiment très profondes. "On pourra enfin parler d'un "homme affranchi" lorsqu'il considérera un autre homme ou femme avec respect"... vous voyez ? Vous n'avez pas de quoi vous affoler. D'abord, pensez à grandir. Cessez de vous traiter comme un objet, vous n'êtes ni de l'argent ni un loisir ni un livre ainsi vous vous rabaissez encore plus. Qui se ressemble s'assemble alors si vous êtes un être peu considéré, pensez que vous serez entouré de gens comme vous, ça c'est sûr !

... Voyons voir, j'ai reçu divers avis à propos de la dernière scène de Miori, les voici : "J'ai été très affectée (mais je comprends)... je pense qu'on ne peut pas mépriser quelqu'un toute sa vie, c'est trop dur. Le mépris n'apporte rien de bon. Je compatis, sincèrement... Elle aurait peut-être pu retrouver une nouvelle vie si elle ne s'était pas suicidée... Le suicide, c'est bien une des choses dont j'ai horreur. C'est l'acte le plus moche qu'un être puisse commettre quoi qu'il lui soit arrivé. Dès lors que Miori a mis fin à sa vie, je pense que sa mère a dû sombrer, elle aussi, puisqu'il n'y aura plus personne sur terre pour la pleurer." Un être humain n'est jamais seul dans sa vie." Je voudrais féliciter les futures infirmières... bravo ! "À mon avis, la solitude devait assombrir la vie de Miori... sa façon de se suicider m'a touchée au plus profond de moi-même. Sa vengeance s'est traduite par la mort mais si seulement plus de personnes pouvaient comprendre ce que cache le cœur des suicidaires, je pense que cela les aiderait à renoncer à leur acte... ce serait tellement bien si on pouvait leur venir en aide". Et sur une carte de vœux : "Je plains le sort de Toya et des autres mais Miori est tout de même la plus à plaindre"... J'ai reçu d'autres commentaires mais je vous ai présenté ceux qui m'avaient marquée (j'ai dû abréger un peu). Je suis vraiment contente que cela ne vous laisse pas indifférents, c'est un sujet assez lourd.

...
PARTOUT OÙ JE VAIS, ILS SONT À MES TROUSSES... ALORS, AVANT DE VOUS CRÉER DES ENNUIS ...

MON P'TIT GARS

LE SEUL INDICE QUI TE RESTAIT POUR RECOUVRER LA MÉMOIRE ÉTAIT DE TE RENDRE AU BORD DE LA "MER" ET RÔDER DANS LES PARAGES ?

V'LÀ AUT' CHOSE

MAIS POUR- SUIVI PAR DES INCON- NUS QUI NE TE LÂCHAIENT PLUS, TU ES TOMBÉ À L'EAU !

ON N'PEUT PAS DIRE QUE CE SOIT TRÈS MALIN !

SI TU CROIS QUE LE RÉCIT DE TA PAUVRE PETITE VIE QUI N'EST AUTRE QU'UN MÉLO- DRAME VA ME TOU- CHER AU POINT D'EN OUBLIER TA FACTURE, TU TE TROMPES ! ÇA NE MARCHE PAS AVEC MOI !!

LORSQUE TU IRAS MIEUX, JE T'ENVERRAI TRA- VAILLER POUR REMBOURSER TES DETTES ! OUAIS, BONNE IDÉE ! C'EST DÉCIDÉ !!

QUOI ??

TRÈS AUTORITAIRE

J'EXIGE QUE TU RESTES ICI JUSQU'À TON RÉTABLISSE- MENT ! C'EST LE MÉDECIN QUI TE L'ORDONNE !!

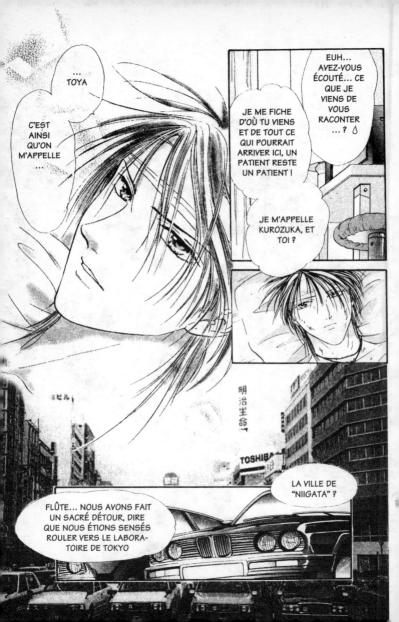

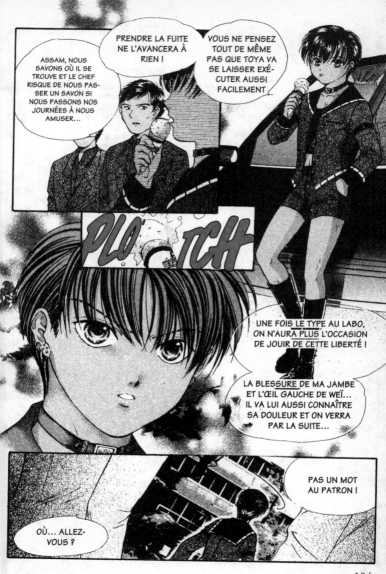

104

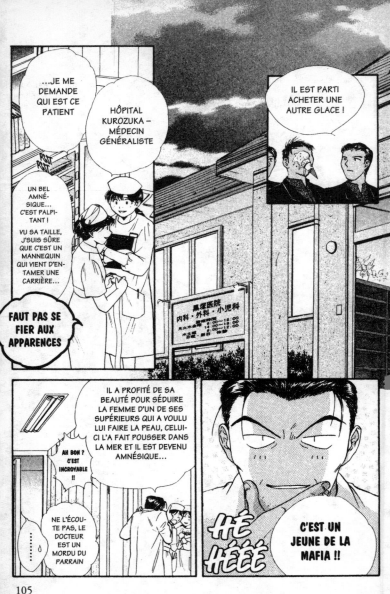

105

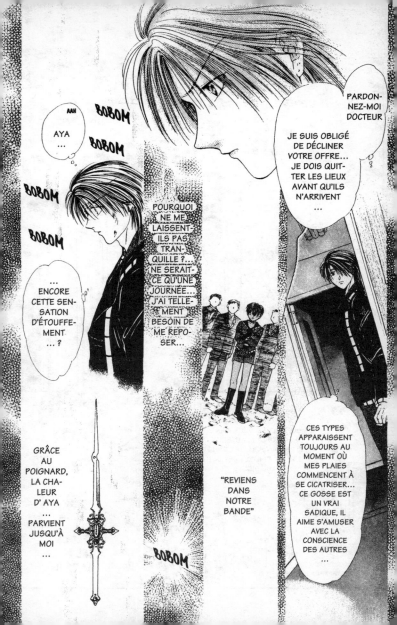

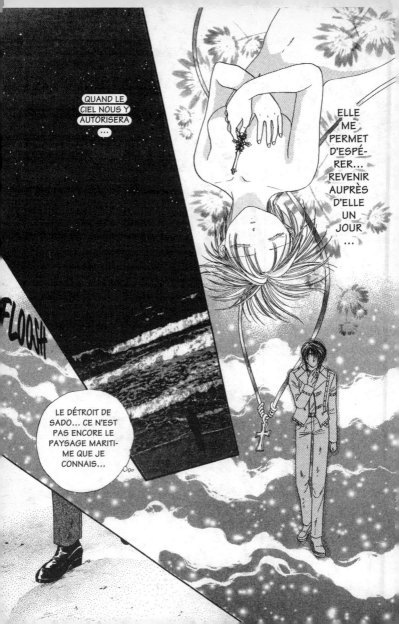

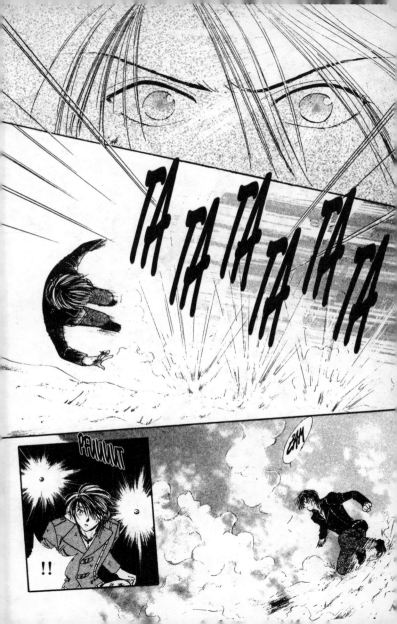

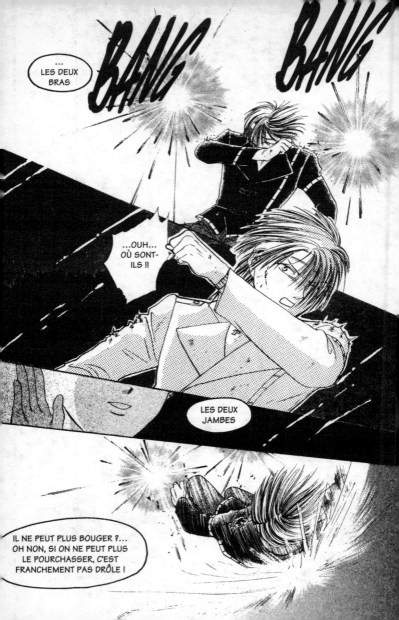

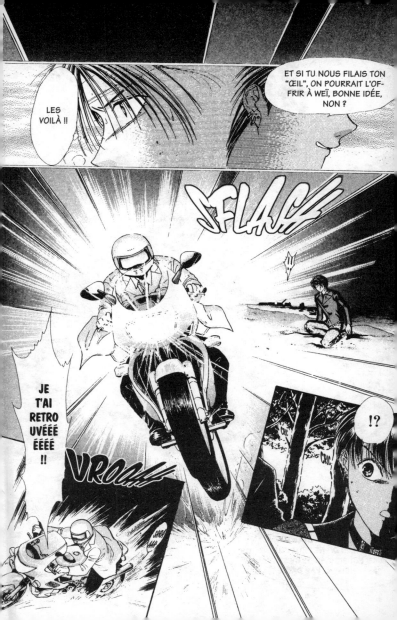

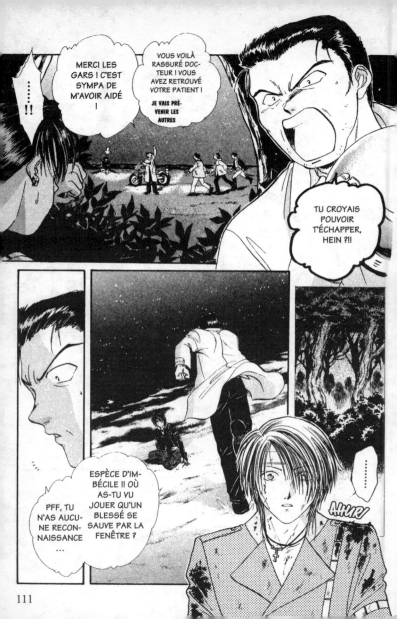

111

RAISON DE PLUS POUR GARDER UN ŒIL SUR TOI, J'AVAIS SONGÉ À T'ENVOYER AU GRAND HÔPITAL MAIS FINALEMENT, NON ! JE VEILLERAI SUR TOI PERSONNELLEMENT !

PFF

CE SONT ENCORE LES HOMMES DE TA BANDE… ? ET OÙ SONT-ILS ALLÉS ?

QU'EST-CE QUE C'EST ENCORE QUE CES BLESSURES … !!

……

JE NE FAIS PARTIE D'AUCUNE BANDE… ILS ONT FILÉ… ILS NE S'EN PRENNENT JAMAIS À D'AUTRES PERSONNES …

AÏE

… EUH, NON… SIMPLEMENT QUE JE N'AVAIS JAMAIS RENCONTRÉ QUELQU'UN COMME VOUS… ET CROYEZMOI SI VOUS LE VOULEZ, CELA FAIT PLUS DE DEUX MOIS QUE JE SUIS EN VADROUILLE …

ÇA TE POSE UN PROBLÈME ?

IL N'A TOUJOURS RIEN COMPRIS

EH BÉ ! CES YAKUZAS ONT AU MOINS UN PEU DE JUGEOTE !

112

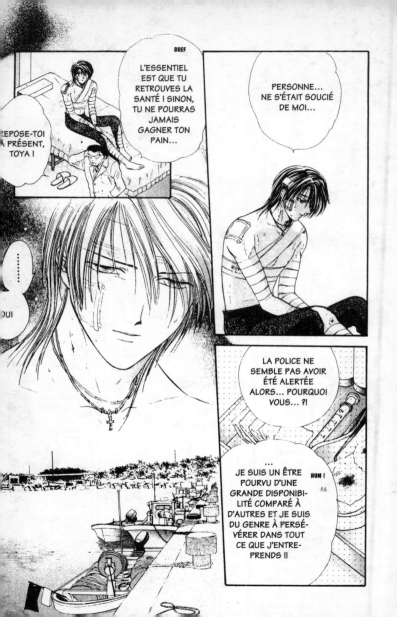

WHOOF

OUAIS ! À MOI LA RANGÉE !

HEIN ?

EUH, NON, CE SONT CELLES D'AYA...

C'EST QUAND MÊME PAS L'OTHELLO QUI T'ÉPUISE !!

JE RESSENS DES PALPITATIONS ASSEZ VIOLENTES ...

DOCTEUR... UNE PETITE SECONDE S'IL VOUS PLAÎT ...

NON, JE N'ATTENDS PAS !!

JE SAVAIS QU'IL Y AVAIT UNE HISTOIRE DE BONNE FEMME LÀ-DESSOUS ! MES INFIRMIÈRES VONT ÊTRE DÉÇUES, ENFIN, PEU IMPORTE, ET C'EST LA FEMME DE TON PATRON ?

ON NE DOIT PAS PARLER LA MÊME LANGUE

IL M'EST ARRIVÉ DE LES RESSENTIR MAIS... IL DOIT SE PASSER QUELQUE CHOSE...

INDIF-FÉRENT

SI J'AI LE MALHEUR D'ENTENDRE LE SON DE SA VOIX... DE L'ENTENDRE PRONONCER MON NOM... JAMAIS JE NE POURRAI RÉSISTER !

J'ACCOURRAI VERS ELLE ...

SI ELLE T'INQUIÈTE AUTANT POURQUOI NE PAS LUI PASSER UN COUP DE FIL... ? J'SUIS SÛR QU'ELLE S'EN FAIT AUSSI POUR TOI

MAIS C'EST... IMPOSSIBLE... POUR LE MOMENT...

115

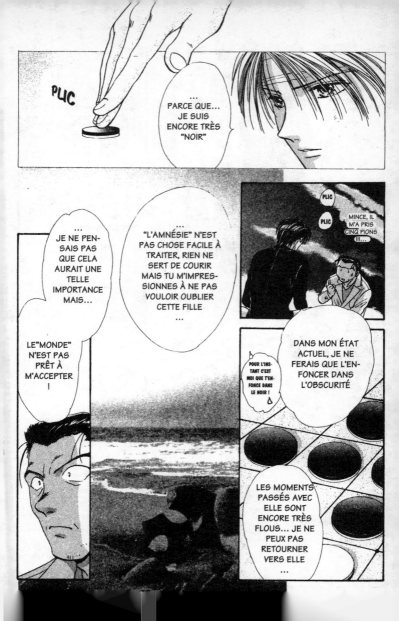

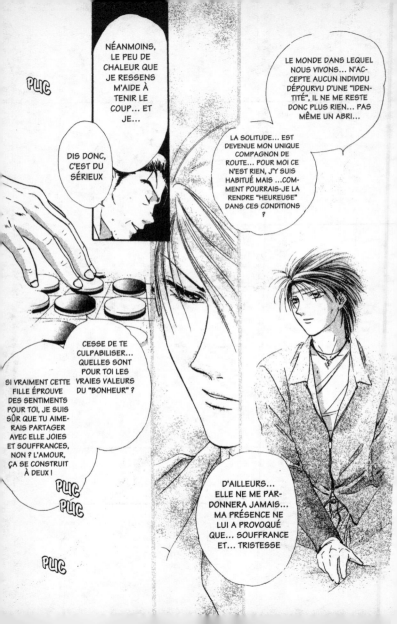

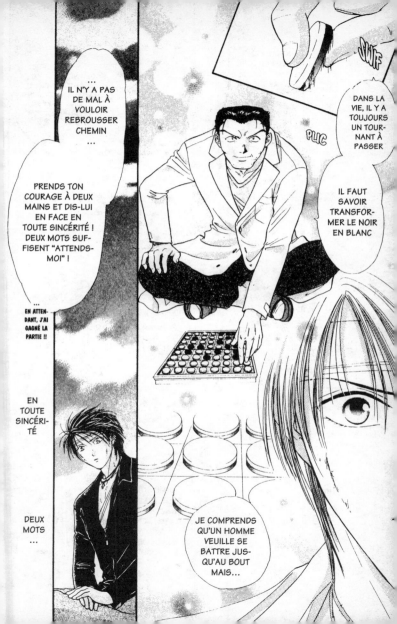

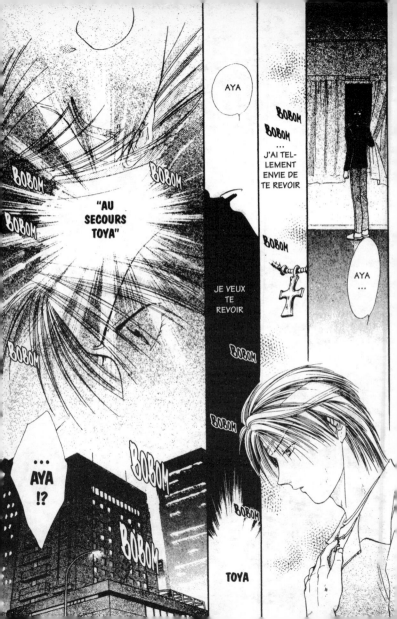

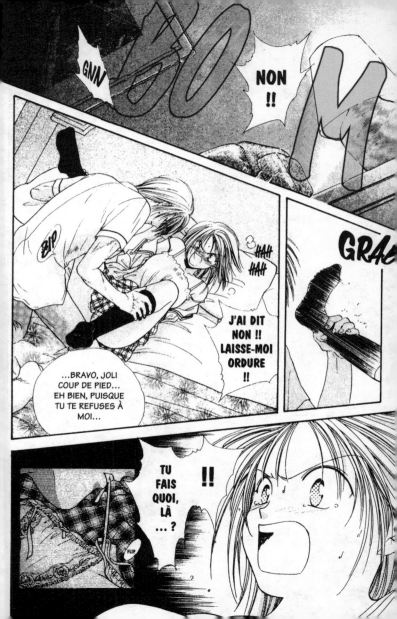

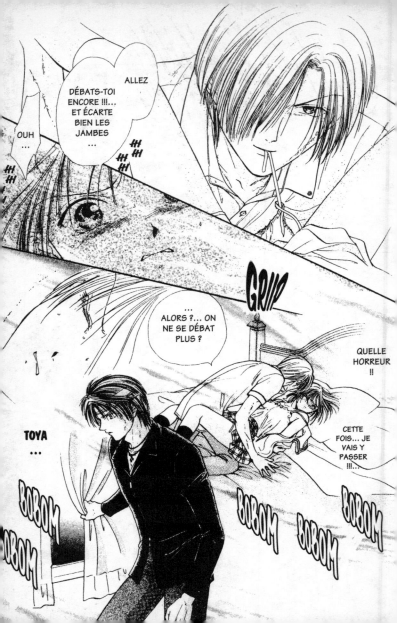

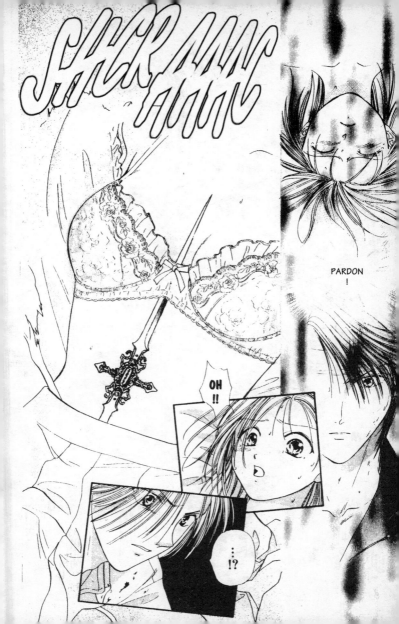

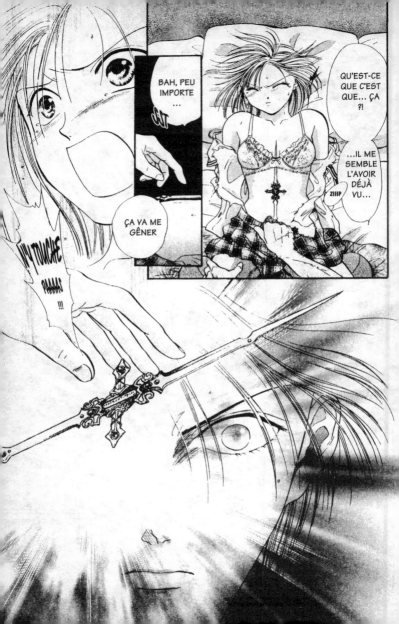

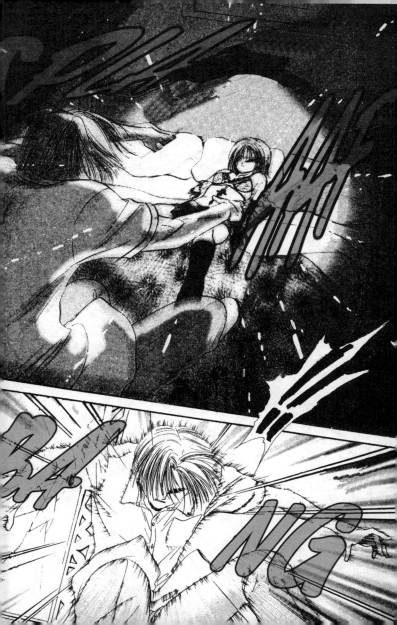

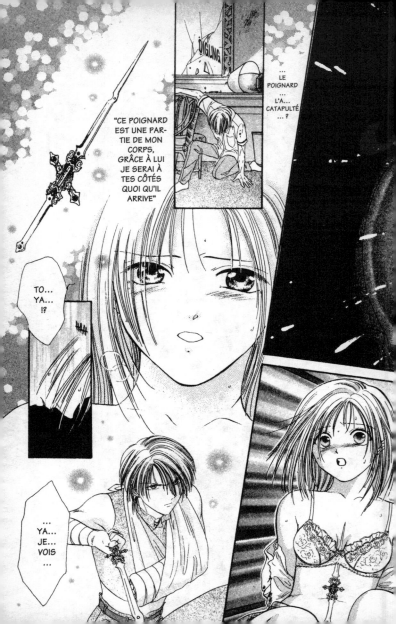

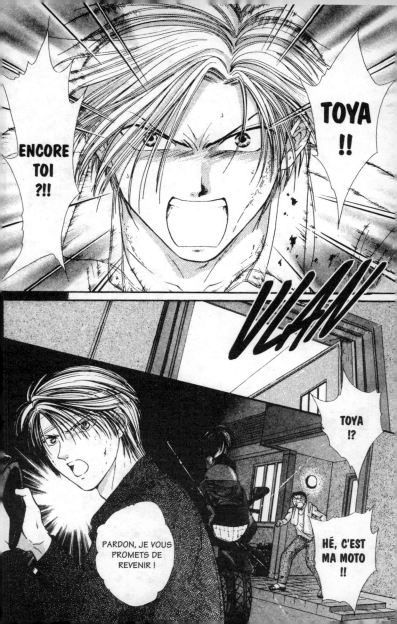

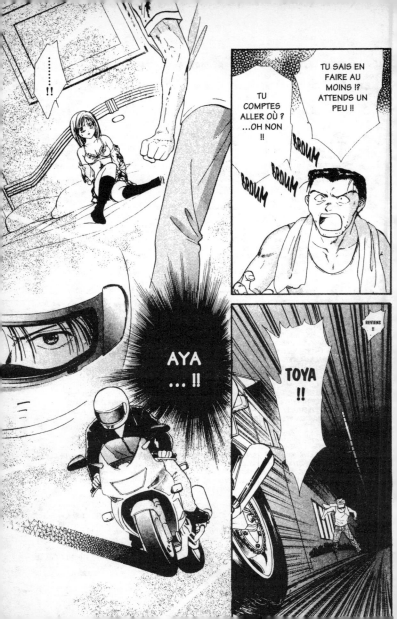

CTIONNAIRE D'EXPLICATIONS POUR LES MANIAQUES DE "AYASHI NO CERES" N°2 !!

PETIT COIN EXPLICATIF QUI VOUS PERMET DE MIEUX CIBLER LE MONDE DE "AYASHI"

LE POUVOIR D'UNE NYMPHE :

IL N'Y A QUE LES DESCENDANTES DES NYMPHES (PORTEUSES DU GÉNOME C) QUI SONT APTES À SE SERVIR DE CETTE FORCE SURNATURELLE GRÂCE À UNE SUBSTANCE MYSTÉRIEUSE CONFINÉE DANS LE CORPS DE CÉRÈS. ON RENCONTRE CE POUVOIR SOUS DIFFÉRENTES FORMES : EXPLOSION, ÉMISSION D'ONDES ÉLECTROMA-GNÉTIQUES, CONCRÉTISATION DES SENTIMENTS TELS QUE LE CHAGRIN (RAPPELEZ-VOUS DU CHIEN BLANC À MIAGI) ET ÉMISSION D'ONDES SONORES.TOUS CES PHÉNOMÈNES APPARTENAIENT À LEURS ANCÊTRES. CEPENDANT ELLES N'ONT PAS EU EN MAINS CE "POUVOIR SORCIER" CONSIDÉRÉ COMME UN MAGNIFIQUE POU-VOIR. IL DEVIENT EXTRÊMEMENT REDOUTABLE LORSQUE CÉRÈS EN FAIT SON USAGE CAR IL AGIT EN PARALLÈLE AVEC UN SENTIMENT DE RAGE SUITE À LA MORT DE PLUSIEURS JEUNES FEMMES. LE POUVOIR D'UNE NYMPHE QUE L'ON RENCONTRE DANS LES LÉGENDES EST PLUS SOBRE : UN GRAIN DE RIZ PEUT NOURRIR UNE POPULA-TION POUR L'ÉTERNITÉ, IL AIDE À FABRIQUER DE L'ALCOOL ET À RENDRE LES TERRE TRÈS FERTILES.

LES JUMEAUX :

DES JUMEAUX DE SEXE OPPOSÉ SONT FORCÉMENT DE FAUX JUMEAUX ET PAR CONSÉQUENT AUTREFOIS ON LES CONSIDÉRAIT COMME DES TABOUS. LA RÉPLIQUE DE KAGAMI À LA PAGE 145 DU VOLUME 4 EST VÉRI-DIQUE : "ON DIT QUE CE SERAIT LA RÉINCARNATION D'UN COUPLE QUI S'EST SUICIDÉ DANS SA VIE ANTÉRIEU-RE" ET CELA NOUS LAISSE PERPLEXE LORSQUE L'ON PREND AKI ET AYA COMME RÉFÉRENCE (SAUF QU'ILS NE SE SONT PAS SUICIDÉS EUX). LE TABOU DE L'INCESTE POUR LES JUMEAUX EXISTAIT AUSSI. SELON LES RÉGIONS ON LES DÉFINISSAIT COMME DES "CRÉATURES MONSTRUEUSES" OU BIEN DES FAMILLES ÉTAIENT PERSÉCUTÉES VOIRE EXÉCUTÉES MAIS PARMI LES RÉGIONS, DES LÉGENDES DISENT QUE LA CRÉATION DU MONDE A PU AVOIR LIEU GRÂCE AUX "LIENS EXISTANT ENTRE FRÈRE ET SŒUR". ON RETROUVE DES PERSON-NAGES DE LA MYTHOLOGIE ÉGYPTIENNE : OSIRIS & ISIS S'APPELLENT IZANAGI&IZANAMI DANS UNE LÉGENDE JAPONAISE.

LA FAMILLE MIKAGÉ :

CE SONT DES HÉRITIERS DE CÉRÈS, LA NYMPHE CÉLESTE, ET ILS POSSÈDENT UN PUISSANT POUVOIR. ILS ONT PRÉCIEUSEMENT CONSERVÉ LA MOMIE DE CÉRÈS ET CROIENT DUR COMME FER QU'ELLE LES A PRO-TÉGÉS. ILS SONT TOUS PERSUADÉS QU'ILS SONT "DIFFÉRENTS DES AUTRES" ET, AFIN DE PRÉSERVER LA LIGNÉE DES NYMPHES, ILS ONT FAVORISÉ LE MARIAGE CONSANGUIN. SURNOMMÉE "LA FAMILLE IMPÉ-RIALE VOILÉE", ELLE A SUBSISTÉ PENDANT DE LONGUES ANNÉES. ACTUELLEMENT, ELLE SE TROUVE À LA TÊTE D'UN COMPLEXE INDUSTRIEL ET GRÂCE À L'ACTIVITÉ DE NOMBREUX MODES DE GESTION, ELLE POS-SÈDE DES ENTREPRISES IMPLANTÉES DANS DIFFÉRENTS PAYS CONNUES SOUS LE NOM DE "MIKAGÉ INTERNATIONAL". BIEN ENTENDU, ELLE CONNAÎT DU BEAU MONDE CHEZ LES POLITICIENS AINSI QUE CHEZ LES GENS MAL FAMÉS ET ON DIT QUE LA POLICE N'A AUCUN POUVOIR SUR CETTE FAMILLE

LES HOMMES DE MAIN DES MIKAGÉ :

ÉTANT DONNÉ QUE LES MIKAGÉ ONT UNE GRANDE INFLUENCE SUR LA MAFIA, ON LES TROUVE PARTOUT. CEPENDANT, ILS NE PEUVENT SE FAIRE REMARQUER PUISQUE TOUS LEURS GROS COUPS SONT EXÉCUTÉS EN DOUCE. AINSI ILS ÉVITENT DE S'APPROCHER DE LA FAMILLE AOGIRI QUI EST CONNUE DANS LES DOMAINES SOCIAUX ET ÉCONOMIQUES

LA MOMIE DE CÉRÈS :

CE "CORPS DIVIN" ÉTAIT CONSERVÉ DANS LE SOUS-SOL DE LA MAISON DES MIKAGÉ. D'APRÈS KAGAMI, LA PRÉSENCE DE CE CORPS AURAIT EMPÊCHÉ LES ÂMES DE S'ENVOLER. C'EST POURQUOI L'ÂME DE CÉRÈS SERAIT VENUE SE LOGER DANS LE CORPS DES FILLES NÉES DANS LA FAMILLE MIKAGÉ. LE CORPS DE CÉRÈS PROTÈGE DONC LES HÉRITIÈRES MAIS DÉTRUIT LEUR ÂME. LE FAIT D'ENVIER LE POUVOIR D'UNE NYMPHE PEUT DEVENIR TERRIBLE ET SEULS LES "CHEFS" DE FAMILLE SONT SECRÈTEMENT INFORMÉS DE L'EXISTENCE DE LA MOMIE

LE FONDATEUR :

IL EST L'HOMME QUI A ÉPOUSÉ CÉRÈS. POUR LES MIKAGÉ IL DEVIENDRA LE FONDATEUR DE LA FAMILLE, D'OÙ CE NOM. IL S'EST RÉINCARNÉ EN AKI MIKAGÉ DANS CETTE VIE PRÉSENTE ET CHAQUE FOIS QU'IL REGARDERA LA MOMIE DE CÉRÈS, L'HOMME DE SA VIE ANTÉRIEURE RESURGIRA. CE QUI EST LE PLUS TER-RIBLE C'EST SON ATTACHEMENT À LA MOMIE. JUMEAU, IL A PARTAGÉ SA VIE DE FŒTUS ET IL APPARAÎT SOUS L'INFLUENCE DE LA MOMIE. EN FAIT, C'EST UN ÊTRE TRÈS ACCAPARANT. LA JALOUSIE S'EMPARE DE LUI SUBITEMENT ET IL CONSIDÈRE CHAQUE HOMME QU'IL CROISE COMME UN ENNEMI À ÉLIMINER SUR-LE-CHAMP. IL A UN CÔTÉ SAUVAGE PROPRE AUX GENS D'AUTREFOIS, CE QUI LUI VAUDRA CETTE ATTITUDE PERVERSE COMPLÈTEMENT MASCULINE. IL PARLE DE "ROBE DE PLUMES" MAIS CONTINUERA À GARDER LE SILENCE TANT QU'IL N'AURA PAS RÉCUPÉRÉ CÉRÈS

À SUIVRE DANS LA TROISIÈME PARTIE

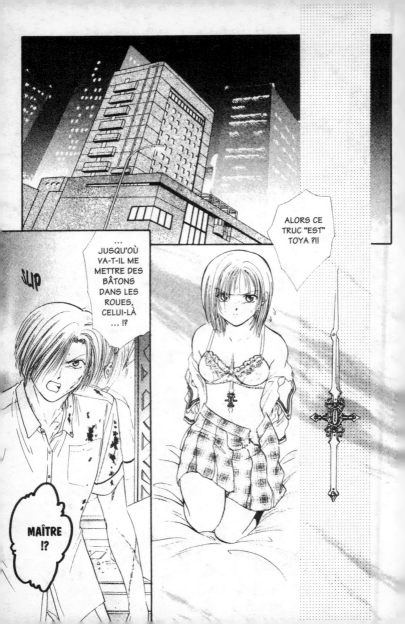

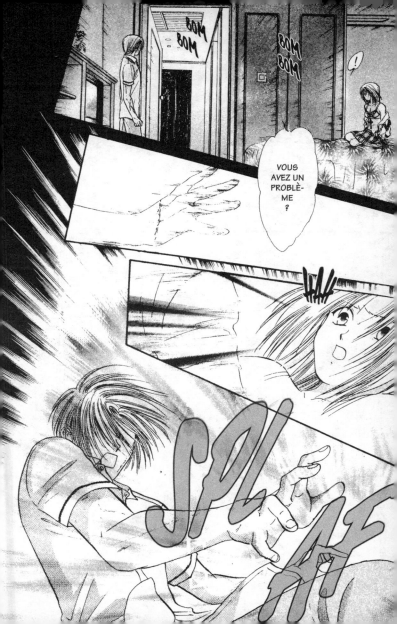

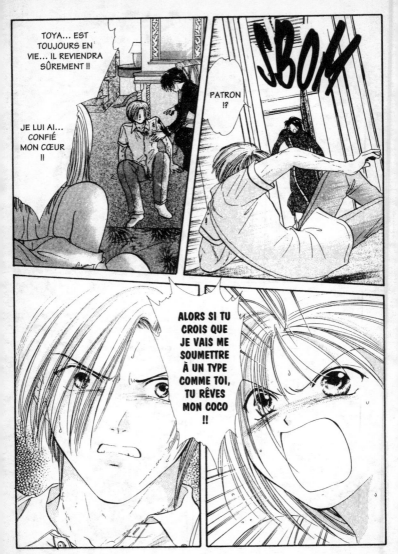

131

SST

ELLE S'EFFORCE D'AVOIR UN AIR FÉROCE

STAP

STAP

GNN

VLAN

...
ÇA M'A COMPLÈTE-MENT REFROIDI... JE VAIS DORMIR DANS UNE AUTRE CHAMBRE !! QUE CETTE FILLE RESTE ENFERMÉE DANS LA CHAMBRE JUS-QU'À NOUVEL ORDRE !! ET QU'ON L'A METTE À LA DIÈTE !!

SST

SHP OUF

OUI

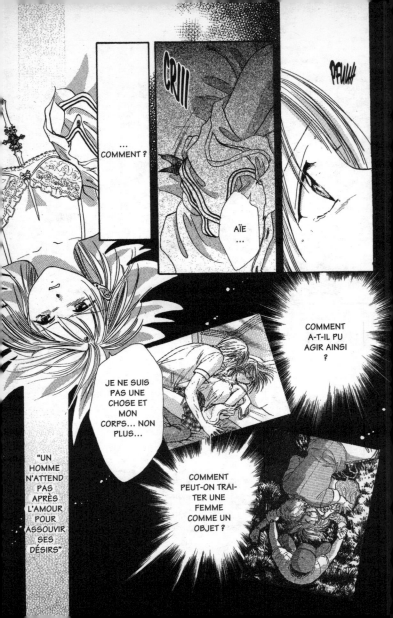

JE N'ÉTAIS
ENCORE
QU'UNE
GAMINE...
J'AGISSAIS
SANS
RÉFLÉCHIR

"IL N'Y
A RIEN
DE
SÛR...
NON"

"TU NE
DOIS
PAS TE
DON-
NER
AUSSI
FACILE-
MENT
AUX
AUTRES
"

MÊME AVEC
YUHI... IL NE
FAUT PAS SE
COMPARER À
UN OBJET...

QUE SA VOIX
QUI ME MURMU-
RAIT "TU M'ES
PRÉCIEUSE" ÉTAIT
SI DOUCE

À CE
MOMENT-
LÀ... JE NE
M'ÉTAIS
PAS RENDU
COMPTE

ET QUE SON
REGARD ÉVOQUAIT
LA DOULEUR

QUE LA MAIN DE
TOYA QUI ME
REPOUSSAIT
DÉGAGEAIT UNE
TELLE CHALEUR

NI MÊME... QU'IL M'AIMAIT...

LES BLA-BLAS DE YUU WATASE

Changeons de sujet. Étant donné le retard... je n'ai pu dessiner autre chose que des scènes d'école. J'ai gravi le mont Miné jusqu'à son sommet et j'ai appris qu'il y existait un lac, "le lac des femmes", où les nymphes se sont arrêtées... Une statue d'une nymphe dominait la crête (j'ai dessiné Cérès sur le cahier de souvenirs de cet endroit). On ne trouve que des représentations de nymphes dans la ville de Minéyama à Tango. Les petits souvenirs que vous achetez représentent des nymphes et même devant la mairie vous pouvez voir une statue de nymphe, il y en a partout. Il y aurait aussi, chaque été, "la rencontre des robes de plumes", une fête qui rassemble toutes les légendes venant de différentes régions ainsi que les héritières, enfin, c'était plutôt confus. Au passage, je remercie M. Nakamura et les autres employés.

Quant à l'inondation qui a englouti le temple... ce n'est pas fictif, j'ai réellement récolté cette information au cours de mon voyage et il s'avère qu'il se trouvait à l'emplacement actuel du terrain de sport de l'école... D'ailleurs, le paysage ressemblait tellement à celui que j'avais imaginé que je suis restée pantoise. Je m'étais imaginé un paysage paisible entouré de montagnes !

J'ai retrouvé cette légende dans d'autres communes où il y a chaque année une "miss nymphe céleste" qui est élue... selon les dires. De nombreuses villes se mobilisent pour rendre hommage aux "nymphes" ! D'ailleurs il ne doit pas y avoir d'exception... J'ai trouvé la mascotte "Tenten" très mignonne (rires). Au fait, j'ai fait la une du quotidien régional (rires). Si vous avez l'occasion de vous rendre au mont Miné essayez d'aller jusqu'au sommet. Les 1010 marches qui vous y mènent sont mortelles mais la vue est tellement belle. N'oubliez pas d'apporter votre casse-croûte.

Parlons d'autre chose. Je reçois encore beaucoup de lettres me faisant part de votre désir de devenir dessinateur/trice de manga (comparé à avant où il y avait plus de penchants pour les métiers d' "écrivain" ou de "comédiens de voix") "C'est mon souhait mais je n'ai pas confiance en moi", "Je trouve que cela m'éviterait de perdre mon temps à l'école", etc., etc.

À suivre...

135

RIEN À FAIRE... CETTE MIGRAINE M'EMPÊCHE DE ME SOUVENIR DE... MON PASSÉ AVEC ELLE...

ALGRÉ CET OBSTACLE... TU T'OBSTINES TOUJOURS À M'ATTENDRE ?

À ME PARDONNER ?

JE ME SUIS ÉLOIGNÉ DE TOI PARCE QUE L'ON M'AVAIT GREFFÉ UNE MÉMOIRE QUI N'ÉTAIT PAS LA MIENNE

IL SE POURRAIT QUE TU DÉSIRES RETROUVER LE "TOYA" D'AVANT...

SEULEMENT... MES SENTIMENTS N'ONT PAS CHANGÉ ET MÊME SI JE NE SUIS PLUS LE MÊME "TOYA"...

TU PEUX ÊTRE CERTAINE QUE... JE TE POURSUIVRAI AUSSI LONGTEMPS QU'IL LE FAUDRA !!

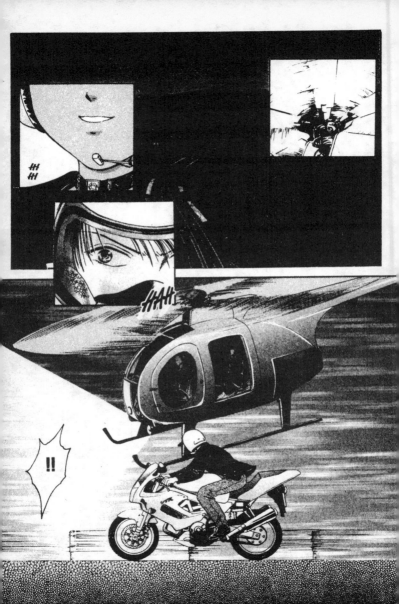

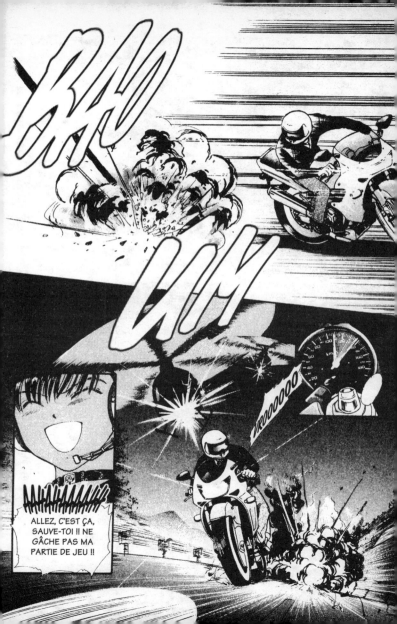

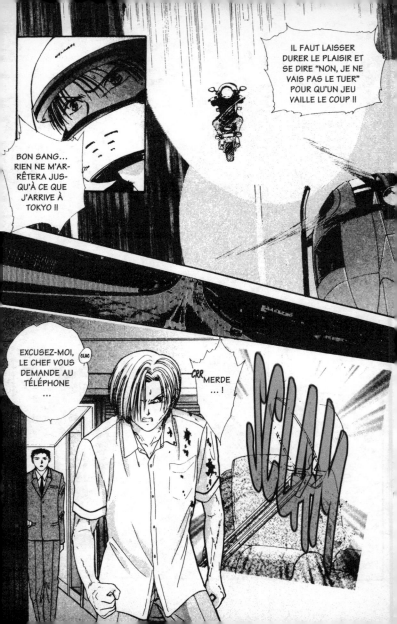

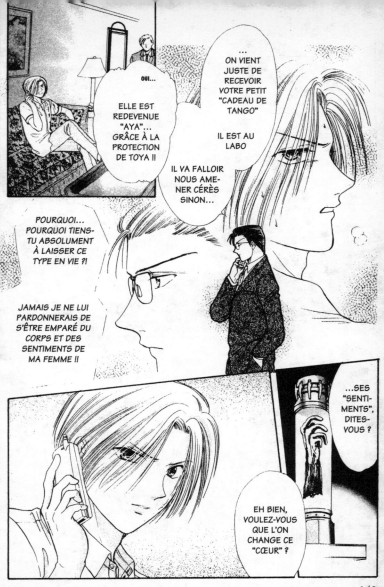

140

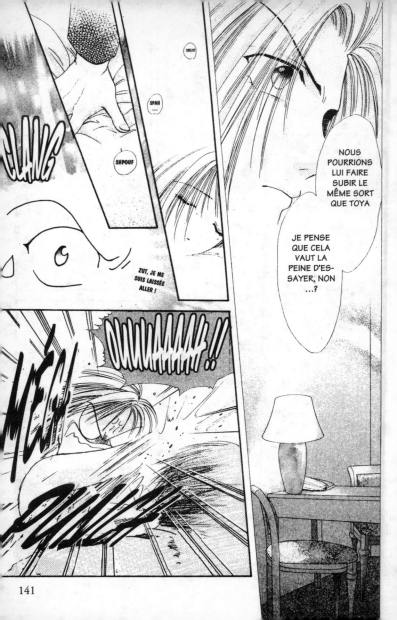

IL ROULE À UNE ALLURE DÉMENTIELLE ! L'HÉLICO NE SUIT PLUS !

LE PROCHAIN COUP, ON PRENDRA UN JET !

...PRE ...

... ...

PRE- NEZ CE VÊTE- MENT ...

OUUH YOUYOUILLE

....

POING

... BAH, MINCE ALORS !? JE N'AI PLUS LES POIGNETS LIÉS ?

TEL FRÈRE, TELLE SŒUR...

JE NE SOUHAITE PAS ME BATTRE AVEC UNE FEMME... ALORS PUISQUE VOUS DEVREZ M'ACCOMPA- GNER DE TOUTE FAÇON, SOUMETTEZ- VOUS À MES ORDRES SANS DISCUTER !

ASSAM ! LA POLICE !

HALTE ! ARRÊTEZ- VOUS !!

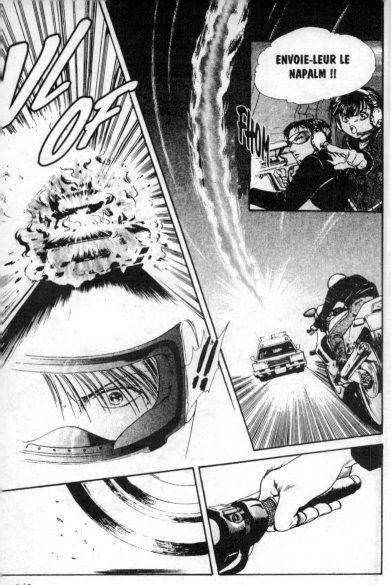

143

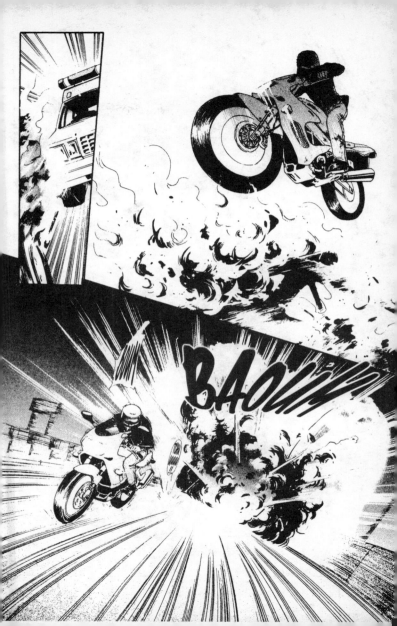

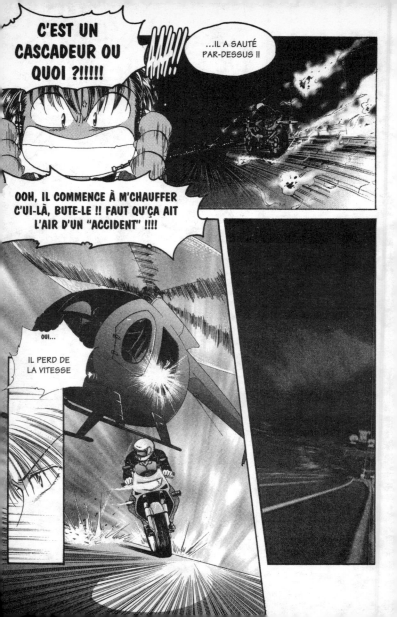

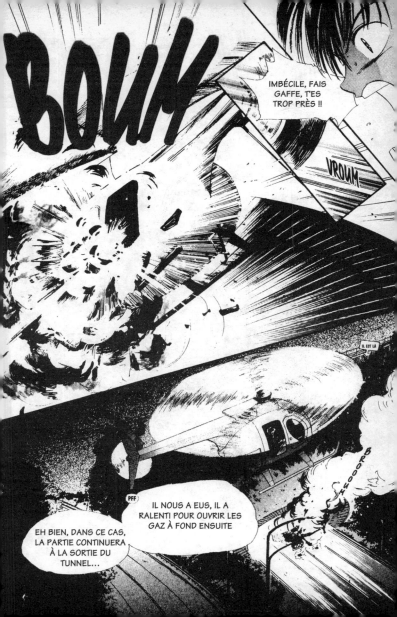

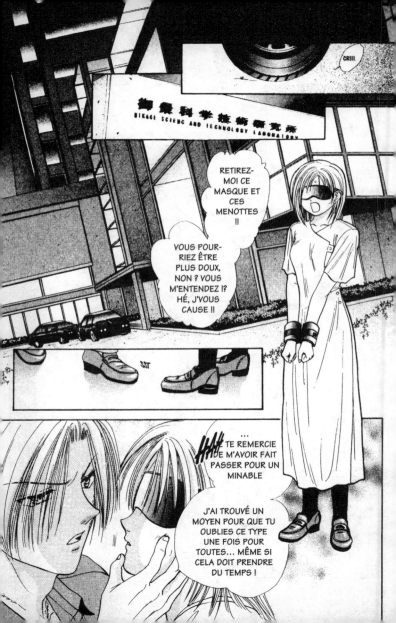

COMME IL Y
AVAIT LONG-
TEMPS, MA
P'TITE AYA
... !

... ENLEVEZ-LUI SON MASQUE !

JE CONNAIS CETTE VOIX...

KAGAMI !?

ELLE ENRAGE

DÈS LORS, TU RENONCERAS DE TOI-MÊME À CELUI QUI OCCUPE TON CŒUR

TU TE TROUVES DANS NOTRE LABORATOIRE... BIENVENUE DANS NOTRE "SECTION SPÉCIALE DE RECHERCHES", TA PRÉ-SENCE ME RAVIT, JE ME SUIS EFFORCÉ JUSQU'À PRÉSENT D'ÉVITER TOUT CONFLIT AFIN DE MENER À BIEN MON PROJET ...

TU CROIS ÇA ? JE PENSE POURTANT AVOIR VEILLÉ SUR TOI ET LES TROIS AUTRES NYMPHES AVEC COURTOISIE... TU VEUX BIEN ME RACONTER COMMENT SE SONT DÉROULÉES "LES RECHERCHES DE LA ROBE DE PLUMES" QUE TU AS ENTREPRISES AVEC TES AMIS ?

BRR BRR

ÉVITER LES CONFLITS !? ON NE DOIT PAS PARLER LA MÊME LANGUE !? JE PEUX DIRE QUE T'AS TOUT FAUX !!

MERCI FONDA-TEUR

148

AU FAIT, TA COUSINE MIORI A CONNU UN BIEN TRISTE SORT

IL ME PREND FRANCHEMENT POUR UNE IDIOTE... QU'IL AVOUE SURTOUT QU'IL N'A PAS PU AFFRONTER MON SUPER POUVOIR !!

ELLE EST À FOND LÀ !

AU CAS OÙ TU NE LE SAURAIS PAS, JE N'SUIS PLUS TOUT À FAIT LA MÊME !! DÉSORMAIS, CÉRÈS ET MOI "COOPÉRONS" ALORS GARE À TES FESSES, ELLES RISQUENT DE CHAUFFER BIENTÔT !!

VOUM

BONG

BONG

LA MORT L'A SÉPARÉE DE SON ÉPOUX, CELUI AVEC LEQUEL ELLE S'ÉTAIT ENFUIE, ELLE ÉTAIT ENDETTÉE JUSQU'AU COU... ELLE EST VENUE À LA CÉRÉMONIE DANS LE BUT DE SOLLICITER LE SOUTIEN DE SON PÈRE... NOTRE GRAND-PÈRE... QUAND SOUDAIN TON RÉVEIL S'EST MANIFESTÉ ...

À PART NOTRE GRAND-PÈRE ET MOI-MÊME, LA PLUPART DES MEMBRES DE NOTRE FAMILLE ÉTAIT CONVAINCUS QUE LA "NYMPHE N'APPARAÎTRAIT JAMAIS"... SA MÈRE EN FAISAIT PARTIE... ON N'Y PEUT RIEN... CELA FAISAIT 10 ANS QUE RIEN NE S'ÉTAIT PASSÉ...

ÇA SUFFIT !!

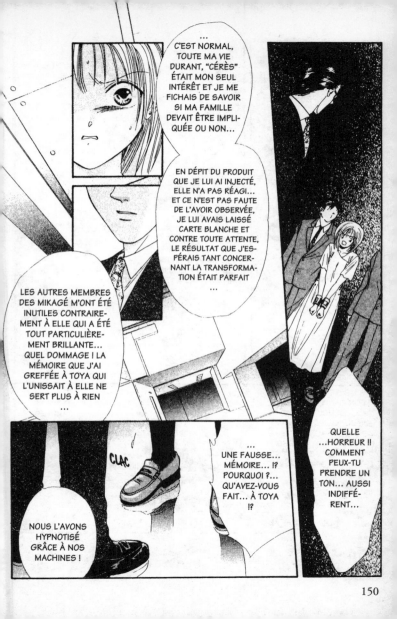

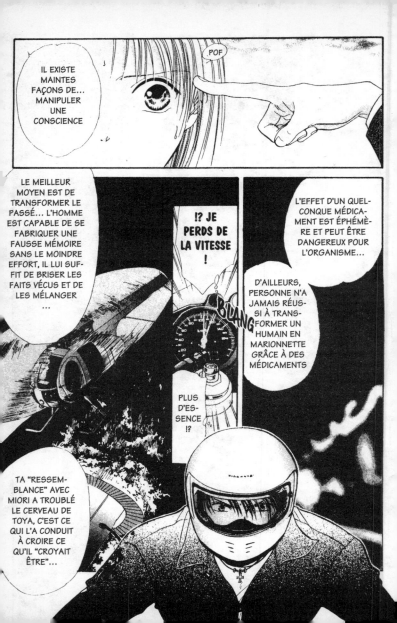

C'EST UNE MICROPUCE QUI ÉMET DES SIGNAUX UNE FOIS EN CONTACT AVEC LE SYSTÈME NERVEUX...

ALORS, À NOTRE GRAND DAM, NOUS AVONS DÛ LUI IMPLANTER DES "TROUBLES" DANS LE CERVEAU...

SEULEMENT, CETTE GREFFE DE CONSCIENCE N'A PAS ÉTÉ TRÈS EFFICACE SUR TOYA AU DÉBUT...

BATH

ESPÈCE DE LÂCHE !!

... MA PETITE AYA, LA SCIENCE EST EN NOTRE "POUVOIR" !

ELLE PROVOQUE DES "MIGRAINES"... RIEN DE PLUS MAIS QUI AGIS-SENT COMME UNE BARRIÈRE ...

CLAC
CLAC

STAP

STAP

EMMENEZ-LA AU 2E ÉTAGE

MALGRÉ CES PRÉCAUTIONS TOYA N'A CESSÉ DE TE SOLLICITER... SES SENTIMENTS ONT SURPASSÉ LA FONC-TION DE SON CER-VEAU... C'EST UNE HISTOIRE TRISTE À MOURIR ...

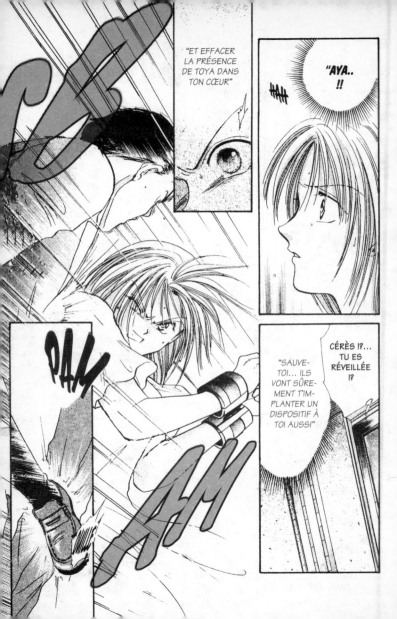

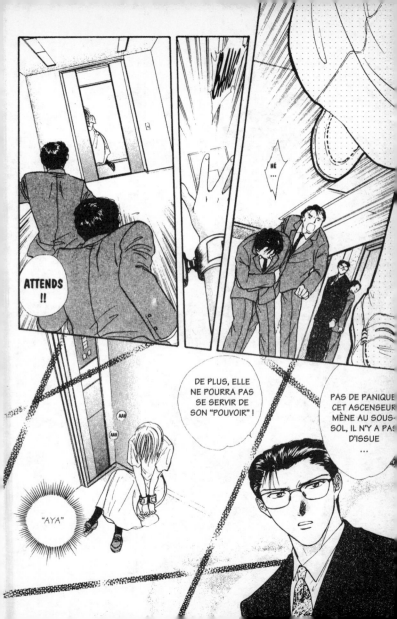

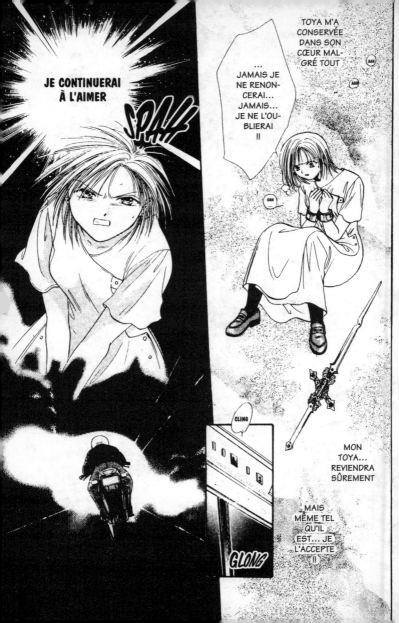

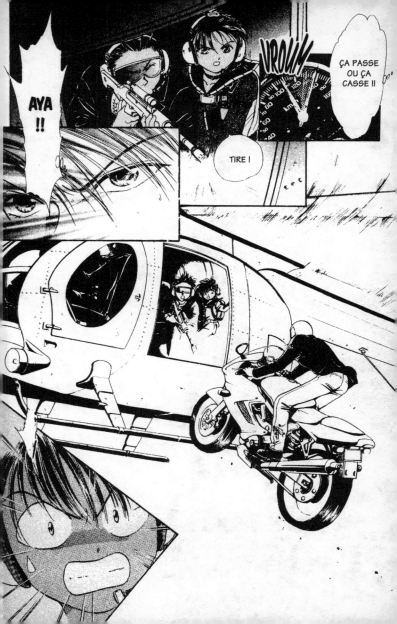

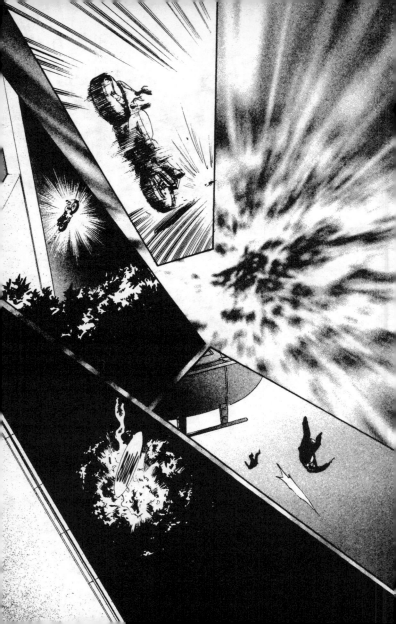

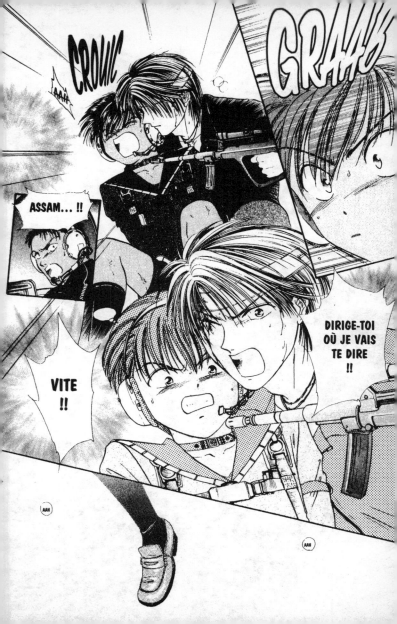

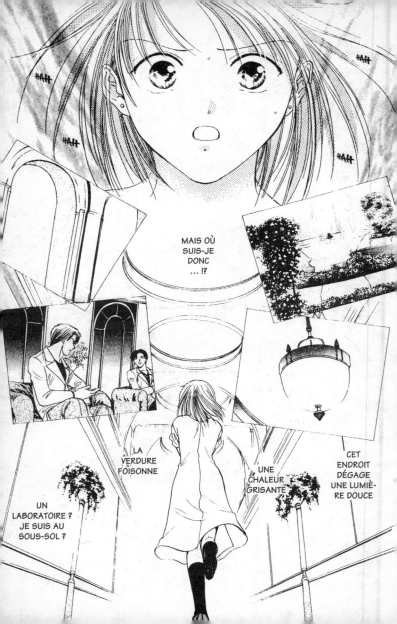

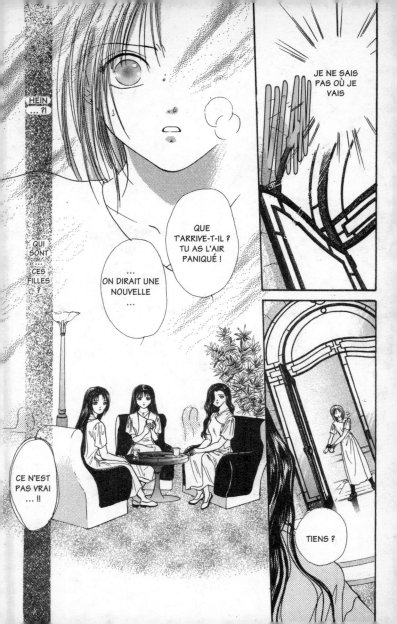

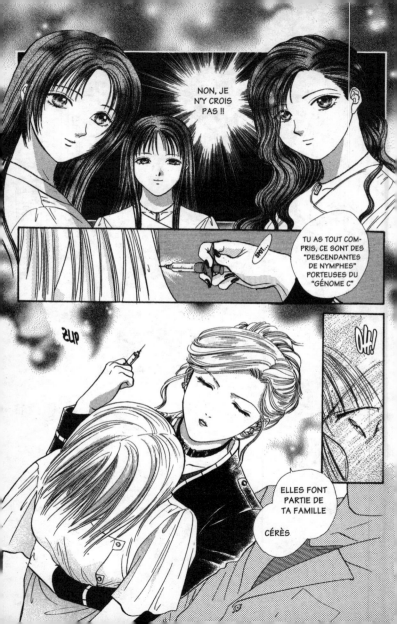

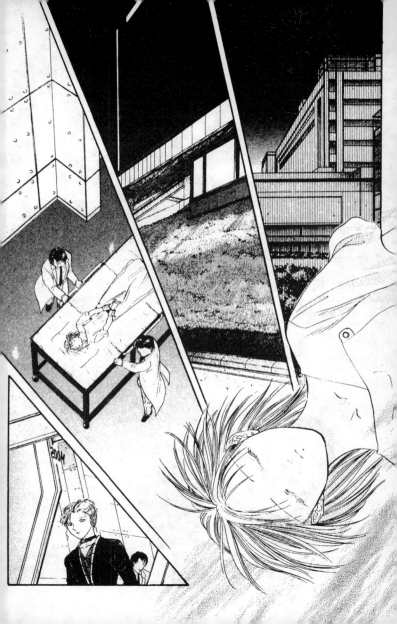

OH
...

JE VOUS RAMÈNE AYA MIKAGÉ, DOCTEUR HOWELL

...
KAGAMI... COMMENT VAS-TU T'Y PRENDRE POUR TRANSFORMER SA MÉMOIRE ? QUE COMPTES-TU LUI IMPLANTER ?

QUELLE ENTÊTÉE... J'AI POURTANT FAIT DE MON MIEUX POUR DISCUTER AVEC ELLE...

DANS LE CAS DE CETTE FILLE, C'EST PLUS QUE SUFFISANT, CELA RISQUE D'AGIR AU MAXIMUM PUISQU'ELLE POSSÈDE DÉJÀ SA PROPRE EXPÉRIENCE...

LA "PEUR"... DES SIGNAUX DE DANGERS QUI AFFECTERONT SA VIE... CE GENRE DE MÉMOIRE FAIT SUBIR À TOUT ÊTRE VIVANT UNE VIVE IMPRESSION...

CHEF... NOUS AVONS ÉTÉ COUPÉS AVEC ASSAM

...ENTENDU

... CHEF, JE NE PEUX PAS EXÉCUTER VOS ORDRES !

HOWELL ?

... BON... VOUS POUVEZ COMMENCER DOCTEUR HOWELL !

164

COMMENT ?

LA MÉMOIRE QUE L'ON A GREFFÉE À TOYA ÉTAIT SANS CONSÉQUENCES GRAVES MAIS... LÀ, CE N'EST PAS LE CAS !

UNE DEUXIÈME TENTATIVE POURRAIT PROVOQUER UNE ANOMALIE, C'EST TROP RISQUÉ, ET ON LUI A DÉJÀ FAIT DEUX INJECTIONS... ELLE A DES CHANCES DE DEVENIR "IMPOTENTE" !!

... SON CORPS ABRITE DEUX PERSONNALITÉS... "CÉRÈS" N'EST QUE SON SUBSTITUT, NE LUI AVEZ-VOUS PAS PRÉVU UN JOLI RÊVE ? METTEZ-VOUS AU TRAVAIL HOWELL !

...AKI...

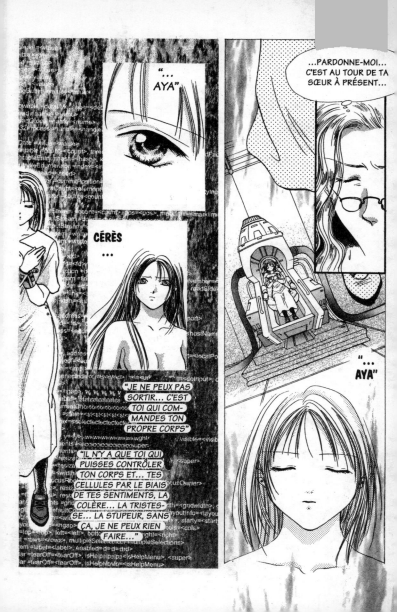

"COMMENT TOYA ET TOI VOUS COMPTEZ ACHEMINER VOTRE VIE"

"SEULEMENT, CETTE DROGUE S'EST EMPARÉE DE TOUTE TON AUTONOMIE ET TU NE T'EN SORTIRAS PAS TANT QUE NOUS AGIRONS INDÉPENDAMMENT... LAISSE-MOI T'AIDER"

"JE N'AI JAMAIS TROUVÉ DE RÉPONSE TOUT AU LONG DE MA PROPRE VIE JUSQU'À MA MORT"

...CÉRÈS... POURQUOI ? JE PENSAIS QUE TU SOUHAITAIS TE DÉBARRASSER DE MOI ?

"J'AI DÛ PERDRE QUELQUE CHOSE DE BIEN PLUS PRÉCIEUX QUE MA ROBE DE PLUMES... MES SENTIMENTS"

"EFFECTI- VEMENT... CEPEN- DANT... J'AI CHANGÉ D'AVIS ET JE VEUX SAVOIR"

COMMENT VA-T-ON PROCÉDER... CÉRÈS ? MON CORPS ET MON POUVOIR SONT TÉTANISÉS...

"LE POUVOIR D'UNE VIE INÉBRANLABLE"

"NE POSSÈDES-TU PAS UN POUVOIR PUISSANT... ? CELUI QUI M'A RETENUE ET EMPÊCHÉE DE SORTIR"

LES BLA-BLAS DE YUU WATASE

Oui, je vous comprends, mais c'est important d'aller à l'école... Je ne parle pas des beaux-arts mais le fait de s'instruire sera très utile pour réaliser des œuvres. Les relations humaines ça "s'apprend" aussi. Cela joue sur la personnalité des personnages. Vous verrez qu'il vous sera bénéfique pour la création de vos œuvres de vous instruire. On en revient à dire ce que j'ai déjà évoqué sur l'amour, cela met en évidence "la dignité humaine"... oups (rires). Tout "dépend de soi". Il ne faut pas penser que vous êtes au bout du rouleau, cela vous perdrait. Bon, je reporte à une autre fois ce thème. Ne baissons pas les bras ! Le volume 3 de "Fushigi Yugi" est en vente ! Le volume 4 sortira avant l'été. Il parlera de "Amiboshi et Suboshi" (si rien ne change...). La série télévisée est sortie aux États-Unis en vidéo, elle est intitulée "The mysterious play" là-bas. Les boîtiers contiennent des cartes de chaque personnage et puis vous vous doutez bien que tout est en anglais (rires). La voix qui double Tamahomé est terrible (rires). C'est bon pour améliorer son anglais...

Comme j'aimerais entendre la version qui passe à Taiwan, c'est la Chine (rires)... et puis, pour ceux qui désireraient des petites choses de "Fushigi" malheureusement, ils vont cesser la fabrication et je pense que vous aurez du mal à vous en procurer. À moins de vous adresser auprès des magasins spécialisés mais, dans la limite des stocks disponibles. Ce n'est pas moi qui les fabrique alors vous pouvez toujours vous tourner vers les fournisseurs mais... (la série étant terminée, je pense que serait peine perdue). Même pour le range CD, il n'en reste plus qu'en stock. Tant pis... mais si vous insistez, pourquoi ne pas vous rendre à Taiwan, je sais que là-bas ils en fabriquent encore à leur guise (rires). Je le sais par le biais des fans qui m'envoient des lettres. Dans un sens, c'est peut-être mieux à partir du moment où cela ne vient pas du Japon (rires) .

...Je voulais vous dire que "Ayashi" va certainement sortir en roman... (rien de sûr pour l'instant) et j'espère pouvoir vous en dire plus dans le prochain volume.

Au revoir
Février 99

169

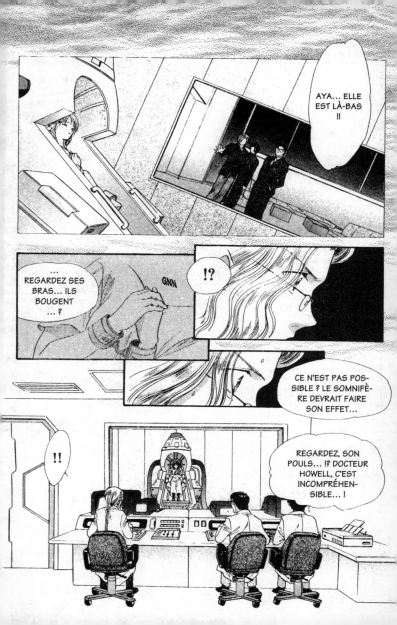

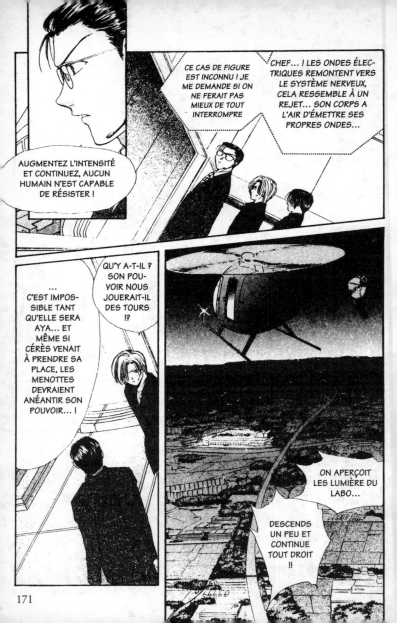

CE CAS DE FIGURE EST INCONNU ! JE ME DEMANDE SI ON NE FERAIT PAS MIEUX DE TOUT INTERROMPRE

CHEF... ! LES ONDES ÉLECTRIQUES REMONTENT VERS LE SYSTÈME NERVEUX, CELA RESSEMBLE À UN REJET... SON CORPS A L'AIR D'ÉMETTRE SES PROPRES ONDES...

AUGMENTEZ L'INTENSITÉ ET CONTINUEZ, AUCUN HUMAIN N'EST CAPABLE DE RÉSISTER !

QU'Y A-T-IL ? SON POUVOIR NOUS JOUERAIT-IL DES TOURS !?

... C'EST IMPOSSIBLE TANT QU'ELLE SERA AYA... ET MÊME SI CÉRÈS VENAIT À PRENDRE SA PLACE, LES MENOTTES DEVRAIENT ANÉANTIR SON POUVOIR... !

ON APERÇOIT LES LUMIÈRE DU LABO...

DESCENDS UN PEU ET CONTINUE TOUT DROIT !!

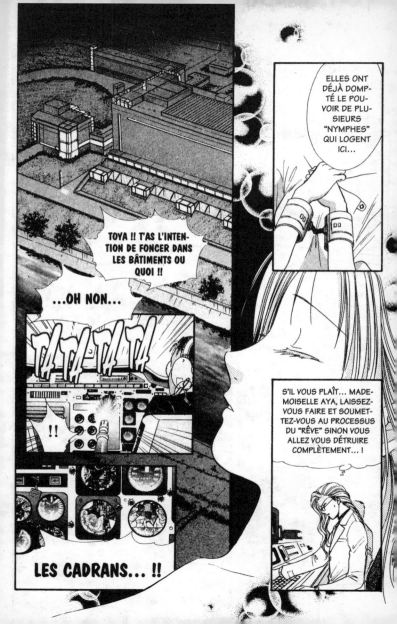

MOI NON PLUS, JE N'OUBLIERAI PAS

LE JOUR OÙ NOUS NOUS SOMMES RENCONTRÉS

TU AS GARDÉ MON SOUVENIR DANS LE FOND DE TON CŒUR ...

WOUIII

FUUT

TOYA

CLAC

NOUS ÉTIONS DÉJÀ UN COUPLE "HORS DU COMMUN" MAIS

TOUTES NOS PEINES ET... NOS JOIES PARTAGÉES ENSEMBLE ...

ERROR

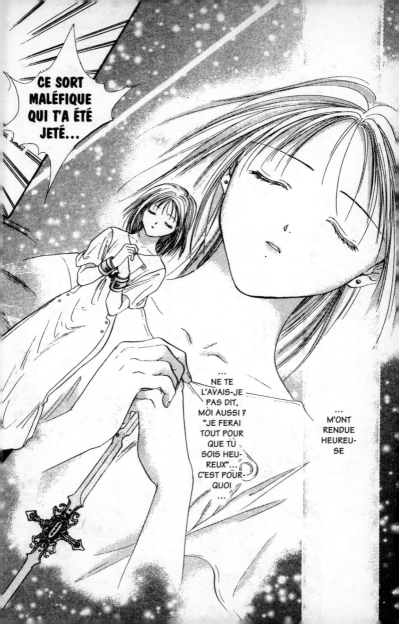

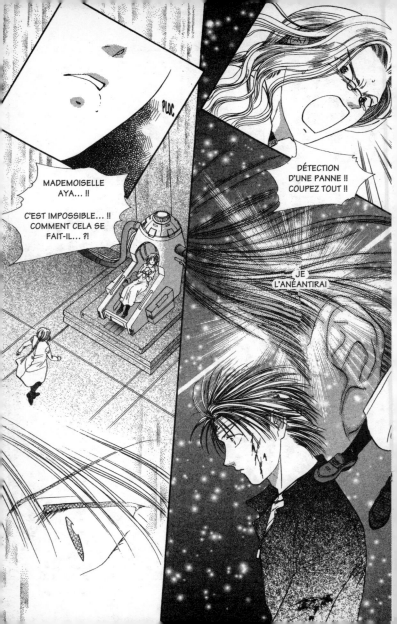

LES COMMANDES NE RÉPONDENT PLUS... SI ÇA CONTINUE, ON VA VRAIMENT S'ÉCRASER !!

TU DEVRAIS DESCENDRE TOI AUSSI, ASSAM... MAIS TU TIENS À TA VIE, N'EST-CE PAS ?

AROH

OUH ...!!

BAT

J'AI DÉCIDÉ DE "NE PLUS TUER"...

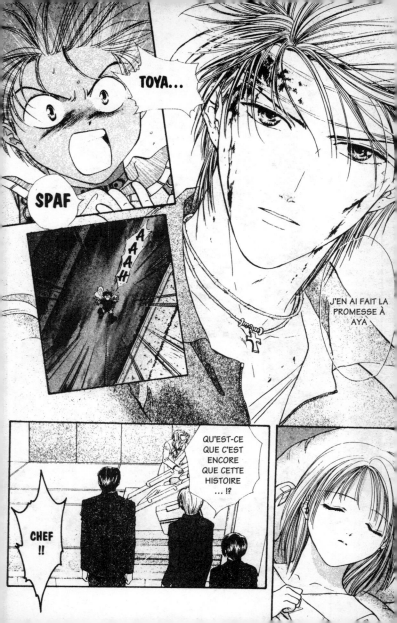

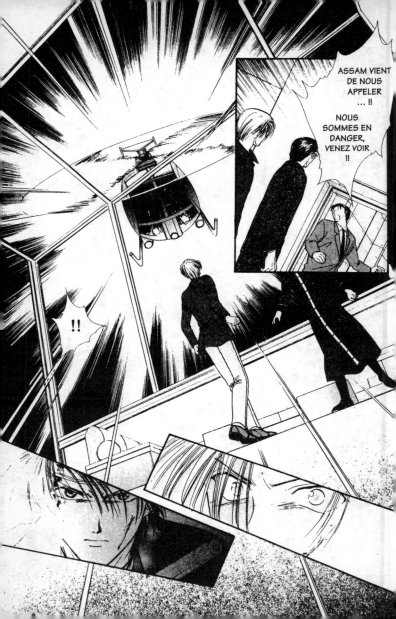

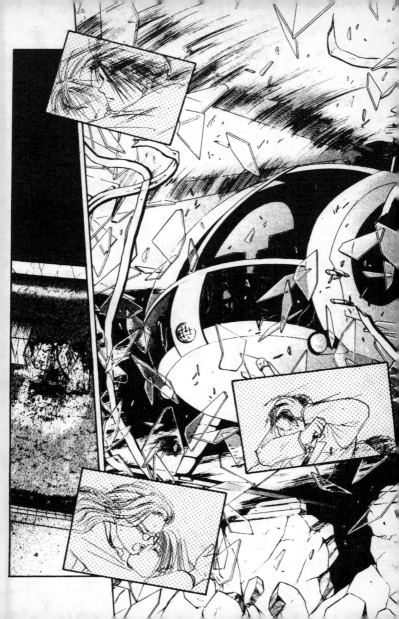

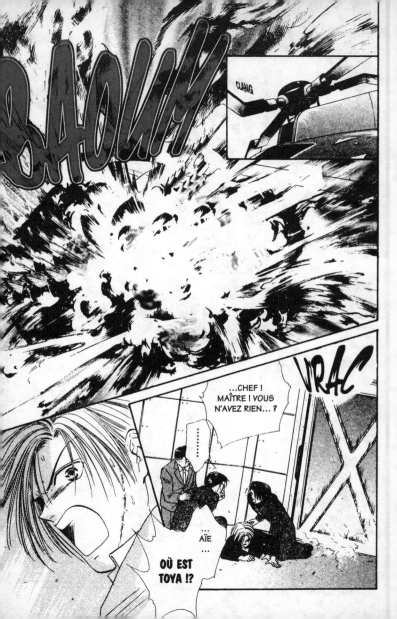

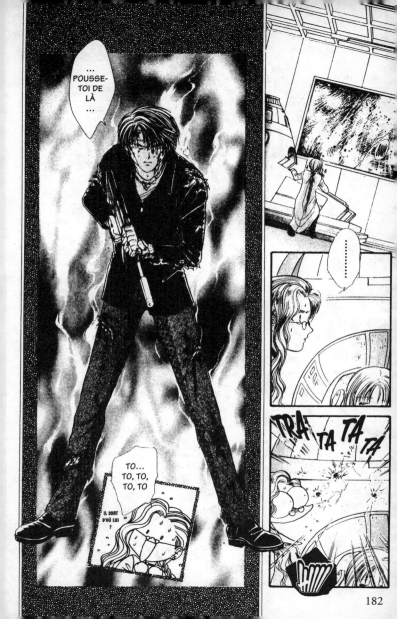

182

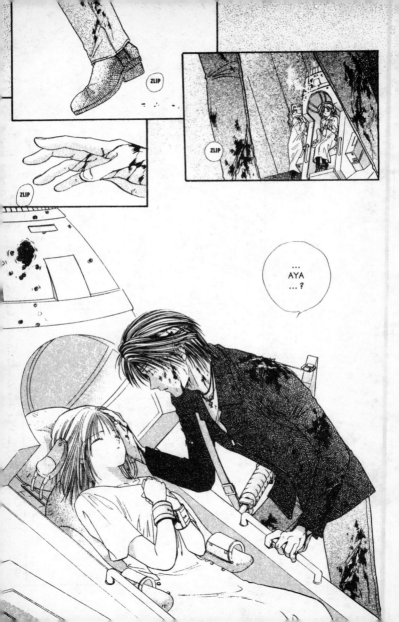

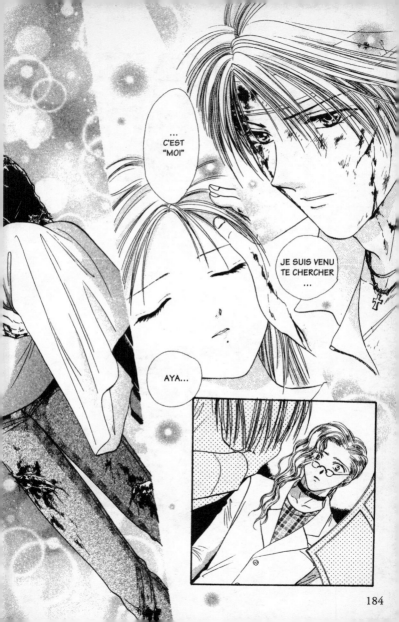

184

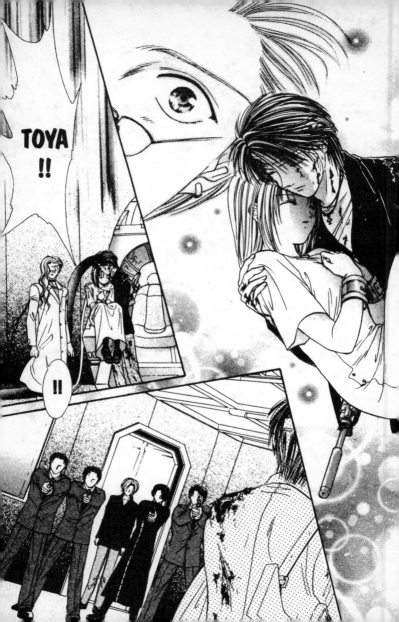

KAGAMI... LA SCIENCE EST UNE MATIÈRE BIEN PEU FIABLE !!

... COMMENT AS-TU... ?! ÇA Y EST, J'Y SUIS, TA MÉMOIRE EST REVENUE GRÂCE AU TROUBLE QU'AYA A PROVOQUÉ SUR LE DISPOSITIF ÉLECTRONIQUE ...

OOOH LALA LAAAAA HÉÉÉÉÉ !!

!?

TU TOMBES À PIC, JE VAIS EN PROFITER POUR TE DESCENDRE ... !!

GRR

186

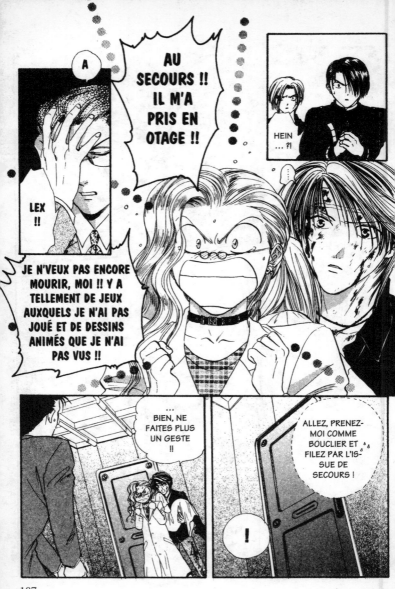

187

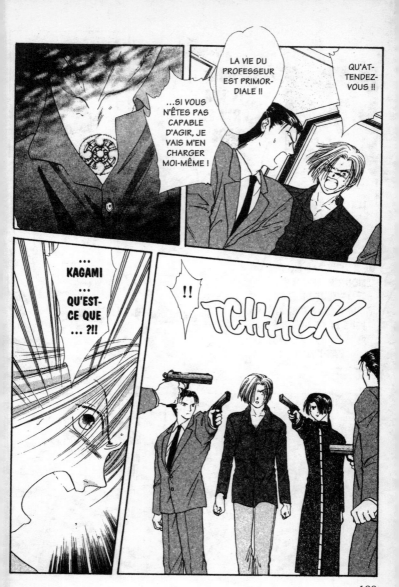

188

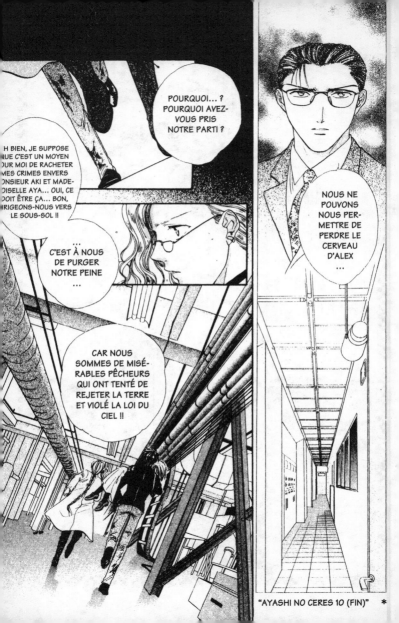

"AYASHI NO CERES 10 (FIN)" *

GALERIE D'IMAGES

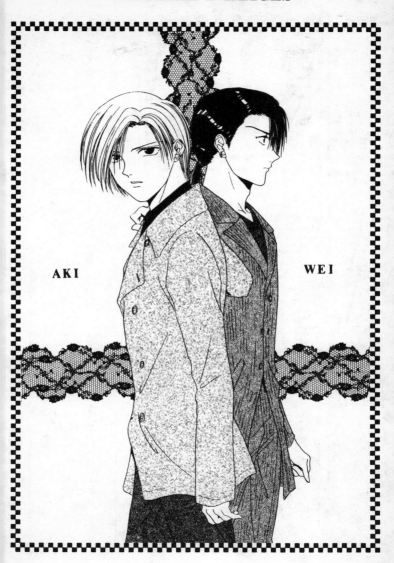

AKI

WEI

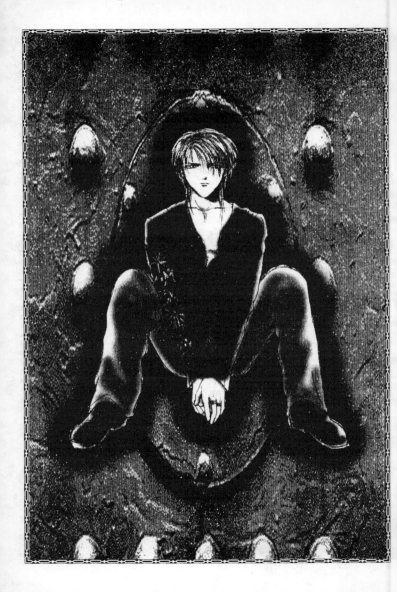

"AYASHI NO SERESU !" vol 10
un conte de fées céleste
© 1996 by WATASE Yuu

All rights reserved
Original japanese edition published in 1996 by SHOGAKUKAN Inc., Tokyo
French translation rights arranged with SHOGAKUKAN Inc.
for Belgium, Canada, France, Luxembourg and Switzerland

Édition française :
© 2001 TONKAM
BP 356 - 75526 Paris Cedex 11.
Traduction : Nathalie Martinez
Adaptation Lettrage et Maquette : Studio TONKAM

Achevé d'imprimer en février 2002
sur les presses de l'imprimerie Darantière à Quétigny (Côte d'Or)
Dépôt légal : février 2002